ALCANÇANDO EXCELÊNCIA em VENDAS
SPIN® SELLING

de Neil Rackham

"Este livro deveria ser leitura básica para todos envolvidos em vendas ou em gerência de vendas — um tratado bem-vindo, bem pesquisado sobre vendas."

— *Journal of Marketing Management*

"O primeiro livro a examinar especificamente a venda grande — o produto ou serviço de alto valor — pesquisando visitas de vendas bem-sucedidas onde elas realmente acontecem, no campo."

— *Industry & Commerce*

"A questão que o livro se propõe a responder é: Como você pode ser bem-sucedido em um tipo de vendas e fracassar totalmente em outro? Vendedores têm se perguntado isso durante anos. E Rackham responde à pergunta de uma forma totalmente surpreendente e completamente convincente. Ele afirma que muitas das habilidade que os torna vendedores bem-sucedidos em vendas menores impedem o seu sucesso em vendas maiores. As conclusões do livro se baseiam na pesquisa mais exaustiva já realizada na área de habilidades em vendas, envolvendo 35 mil visitas conduzidas em um período de 12 anos. As conclusões interessantes se apóiam em estudos de caso e dados estatísticos impressionante ajudadas pelo estilo vívido e coloquial da escrita de Rackham".

— *Sales Technique*

"O livro é o resultado de vários milhões de dólares em pesquisas extensas e detalhadas. É inovador e não pode ser ignorado por ninguém que esteja comprometido com a profissão de vendas."

— *Sales Technique*

"Os achados revolucionários, publicados aqui pela primeira vez, darão uma guinada em todo um conjunto de suposições aceitas até então. O livro também fornece um conjunto de técnicas práticas e simples – conhecidas como SPIN – que já foram experimentadas em várias das melhores empresas, resultando em um notável aumento nas vendas."

— *Business Executive*

"O autor, Neil Rackham, não é um vendedor que se tornou autor, ele é um respeitado psicólogo comportamental que está basicamente preocupado com o comportamento humano. Eu achei o livro totalmente compulsivo, e embora seja controvertido e vá contra muitas das filosofias de treinamento de vendas convencionais, as idéias não são apenas interessantes, mas sim comprovadamente eficazes. É o conteúdo de pesquisa do livro que é tão importante. Neil Rackham não está simplesmente enaltecendo sua própria idéia; ele tem 15 anos de pesquisa para apoiá-lo. Ele prestou consultoria a várias das melhores empresas, como IBM, Kodak e Honeywell e essas empresas figuram em alguns dos estudos de caso. Quase todos poderiam aprender algo com este livro. Essencialmente, é sobre sucesso e sem isso nenhuma organização de vendas pode sobreviver. Compre um exemplar. Nós lhe asseguramos que você o achará inestimável."

—*Sales and Marketing Management*

"... destinado a se tornar um clássico em gerenciamento de vendas."

— *Technology Business*

ALCANÇANDO EXCELÊNCIA em VENDAS

SPIN® SELLING

CONSTRUINDO RELACIONAMENTOS DE ALTO VALOR PARA SEUS CLIENTES

Neil Rackham

ALTA BOOKS
GRUPO EDITORIAL
Rio de Janeiro, 2023

Dados de Catalogação na Publicação

Rackham, Neil.
Alcançando Excelência em Vendas: SPIN Selling. Construindo Relacionamentos de Alto Valor para seus Clientes/ Neil Rackham.
2023 - Rio de Janeiro - Alta books.
1. Vendas 2. Treinamento 3. Administração
ISBN: 978-85-508-2338-6

Do original: SPIN Selling

© 1988 McGraw-Hill, Inc.
© 2023 Starlin Alta Editora e Consultoria Eireli.
Todos os direitos reservados.
Proibida a reprodução total ou parcial.
Os infratores serão punidos na forma da lei.

EDITOR
MILTON MIRA DE ASSUMPÇÃO FILHO

Revisão Técnica
PAULO RIBEIRO BRANDÃO

Tradução
Maria Lucia Rosa

Produção Editorial
Lucimara Leal

Coordenação Gráfica
Silas Camargo

Editoração e Capa
Crontec

O método SPIN Selling® é representado pela Huthwaite Brasil
11 5523-3618
www.huthwaite.com.br

Editora
afiliada à:

Rua Viúva Cláudio, 291 – Bairro Industrial do Jacaré
CEP: 20.970-031 – Rio de Janeiro (RJ)
Tels.: (21) 3278-8069 / 3278-8419
www.altabooks.com.br – altabooks@altabooks.com.br
Ouvidoria: ouvidoria@altabooks.com.br

Sumário

Introdução à Edição Brasileira   **9**

Prefácio   **11**

1. Comportamento e Sucesso em Vendas   **15**
    Sucesso na Venda Grande   18
    A Venda Grande   20
    Os Quatro Estágios de uma Visita de Vendas   25
    Perguntas e Sucesso   28

2. Obtenção de Compromisso: Fechar a Venda   **33**
    O Que É Fechamento?   35
    O Consenso quanto ao Fechamento   35
    O Início da Pesquisa   36
    Pesquisa Inicial   37
    O Estudo da Loja de Revelação Fotográfica   45
    Fechamento e Exigência do Cliente   48
    Fechamento e Satisfação Pós-Venda   50
    Por que o Resto do Exército Está em Descompasso?   51
    Obtendo o Compromisso *Certo*   56
    Obtenção do Compromisso: Quatro Ações Bem-sucedidas   63

3. Necessidades do Cliente em uma Venda Grande   67

    Como as Necessidades se Desenvolvem   70

    Necessidades Implícitas e Explícitas   71

    A Equação de Valor   75

    Sinais de Compra na Venda Maior   76

4. A Estratégia SPIN   81

    Perguntas de Situação   81

    Perguntas de Problema   84

    Perguntas de Implicação   88

    Perguntas de Necessidade de Solução   95

    A Diferença entre Perguntas de Implicação e Perguntas de Necessidade de Solução   103

    De Volta a Perguntas Abertas e Fechadas   105

    O Modelo **SPIN**   106

    Como Usar as Perguntas **SPIN**   109

5. Oferecendo Benefícios em Vendas Grandes   115

    Características e Benefícios: As Formas Clássicas de Demonstrar Capacidade   115

    Os Impactos Relativos a Características, Vantagens e Benefícios   123

    Por que as Vantagens se Desgastam?   127

    Vendas de Novos Produtos   127

    Demonstrando a Capacidade com Eficiência   131

6. Evitando Objeções   133

    Características e Preocupações de Preço   136

    Vantagens e Objeções   139

    Benefícios e Apoio/Aprovação   149

7. Abertura: Iniciando a Visita — 153
Primeiras Impressões 154
Aberturas Convencionais 155
Uma Estrutura para Abrir a Visita 159

8. Transformando Teoria em Prática — 163
As Quatro Regras de Ouro das Habilidades de Aprendizagem 164
Um Resumo dos Estágios da Visita 168
Uma Estratégia para Aprender os Comportamentos **SPIN** 171
Uma Palavra Final 174

Apêndice A – Avaliando o Modelo SPIN — 177
Correlações e Causas 179
É Possível Ter Provas? 184
Entra a Motorola Canadá 189
Um Novo Teste de Avaliação 197
Idéias Finais sobre a Avaliação 202

Apêndice B – Escala de Atitude de Fechamento — 205
Calcule sua Pontuação 208
O que Significa a Pontuação? 208

Índice — 211

Introdução à Edição Brasileira

Agora faz mais de trinta anos desde que minha equipe de pesquisa estabeleceu um objetivo ambicioso: queríamos criar um novo modelo de vendas, baseado em pesquisas cientificamente válidas, o que seria diferente dos métodos de vendas tradicionais.

Por que precisávamos de um novo modelo? Duas razões: primeira, vender estava ficando mais sofisticado e os modelos de venda existentes, que tinham sido desenvolvidos na década de 1920, eram simples demais para serem úteis. A segunda razão era que todos os métodos de vendas amplamente usados eram dos Estados Unidos, eles tratavam de como influenciar os clientes norte-americanos. Suspeitamos de que eles não funcionavam bem na Europa, nossos compradores não se comportam como os norte-americanos, e por isso queríamos desenvolver um modelo de vendas que fosse efetivo para a Europa e o restante do mundo.

Trabalhamos em 23 países, onde os membros de nossa equipe de pesquisa acompanharam 35 mil visitas de vendas. Em Portugal, João Teixeira Gomes, na época na Xerox, conduziu a pesquisa. Acho que foi a primeira vez na história que a pesquisa de vendas foi feita em português. Alguns de nossos achados foram revolucionários. Descobrimos o método SPIN; um padrão de perguntas que os vendedores usam para desvendar e desenvolver as necessidades do cliente. Por um golpe do destino que me agrada muito, a pesquisa SPIN, que visava desenvolver um novo método de vendas para a Europa, hoje se tornou o método de vendas mais divulgado nos Estados Unidos, com mais da metade das 500 melhores empresas citadas pela revista *Fortune* usando-o. Este livro trata dessa pesquisa. Foi, de longe, a maior investigação de sucesso em vendas já realizada. Levamos 12 anos e, no numerário de hoje, custou mais de 30 milhões de dólares.

Por que custou tanto? Aprendemos logo no início de nossa pesquisa que tínhamos que enviar os pesquisadores para observarem visitas de vendas conforme aconteciam – e isto é muito caro. Métodos mais baratos, como entrevistas ou estudos de questionário não funcionam. Os melhores vendedores, como aqueles com o melhor desempenho em qualquer campo, não sabem o que os torna bons profissionais. A única maneira de descobrir o segredo de seu sucesso é observá-los vendendo.

As pessoas me perguntam "Como um método desenvolvido 30 anos atrás funciona no atual clima de negócios? Não haveria uma metodologia de vendas melhor e mais nova? Há duas respostas para isso. A primeira é uma questão financeira. A única forma de se obter um método melhor é fazer uma pesquisa nova. E, no atual clima de negócios, ninguém está disposto a empregar os muitos milhões que a nova pesquisa custaria. A outra resposta é que o modelo SPIN ainda funciona. Seria surpreendente se não funcionasse. Vender diz respeito à psicologia fundamental de pessoas e como elas interagem. Isso não mudou em centenas de anos. Os negócios mudam, e as economias também – veja a vibrante economia no Brasil hoje que ninguém teria sonhado 30 anos atrás. Mas vender ainda se baseia em como um vendedor e um cliente trabalham juntos.

Neil Rackham
outubro, 2008

Prefácio

Este é outro livro sobre como obter mais sucesso em vendas. Então, o que o torna diferente dos mais de mil livros sobre vendas já publicados? Dois aspectos:

1. *É sobre a venda grande.* Quase todos os livros sobre vendas existentes usaram modelos e métodos que foram desenvolvidos sobre vendas de baixo valor, em uma única visita. Na década de 1920, E. K. Strong executou estudos pioneiros relativos a pequenas vendas, que introduziram idéias novas para vender como características e benefícios, técnicas de fechamento, métodos para lidar com objeções e perguntas abertas e fechadas. Durante mais de 80 anos, esses mesmos conceitos foram copiados, adaptados e refinados com a suposição de que deveriam se aplicar a todas as vendas. Mesmo os poucos escritores que tentaram dar conselhos sobre vendas maiores basearam muitas de suas idéias nesses modelos mais antigos. E isso é um erro, porque as tradicionais estratégias de vendas simplesmente não funcionam no ambiente complexo e em rápida mudança da venda grande atual.

    Este, creio, é o primeiro livro a adotar uma visão totalmente nova de vendas grandes e das habilidades que você precisa para torná-las um sucesso. Como se verá, muitas das coisas que ajudam em vendas menores afetam o sucesso à medida que as vendas crescem. As vendas grandes exigem um conjunto de habilidades novo e diferente, e é disso que trata este livro.

2. *Baseia-se em pesquisa.* Esta é a primeira publicação de resultados do maior projeto de pesquisa já realizado na área de habilidades de vendas. Minha equipe na Huthwaite analisou mais de 35 mil visitas de vendas, em um período de 12 anos, para fornecer dados objetivos sobre a venda de sucesso os quais se lerá aqui. Há muitas opiniões sobre como vender, mas há também uma verdadeira falta de dados bem pesquisados. Desenvolvi a pesquisa descrita neste livro porque não estava satisfeito com essas opiniões. Queria provas. E agora, depois de milhões de dólares em pesquisa, posso oferecer evidências bem documentadas sobre como obter mais sucesso em vendas maiores.

Estou escrevendo para aqueles que levam as vendas a sério — que vêem sua venda como uma profissão de alto nível que precisa de todas as habilidades e cuidados que acompanham o profissionalismo em qualquer campo. E escrevo sobre como realizar vendas grandes — esse negócio significativo que tem margens e recompensas atraentes para profissionais de vendas de alto nível. Em nossos estudos, trabalhamos com os melhores vendedores de mais de 20 das maiores organizações de vendas do mundo. Observando a atuação desses profissionais durante vendas grandes, fomos capazes de descobrir o que os torna bem-sucedidos. Este é o assunto deste livro.

Como saber se os métodos que descreverei podem ajudar alguém a se tornar mais eficiente? Tenho confiança de que eles ajudarão, e minha confiança se baseia em algo mais substancial que apenas a esperança. Quando descobrimos pela primeira vez os métodos descritos neste livro, não tínhamos certeza se ajudariam as pessoas a vender de modo mais eficaz. Por um lado, muitas de nossas descobertas eram controvertidas e contradiziam diretamente a maioria dos treinamentos de vendas existentes; por outro lado, não tínhamos certeza se os métodos utilizados por profissionais bem-sucedidos seriam difíceis demais para a maioria das pessoas aprender.

Então não divulgamos nossas descobertas durante sete anos, testando o valor prático de nossas idéias antes de estarmos prontos para publicá-las. Durante essa época, treinamos vários milhares de vendedores nos métodos que descrevemos aqui, experimentando continuamente para descobrir a melhor maneira de transformar nosso conhecimento teórico de sucesso em vendas em métodos simples e práticos que poderiam ajudar qualquer pessoa a se tornar mais eficiente em vendas grandes. Medimos os ganhos de produtividade das primeiras mil pessoas que treinamos, comparando-as com os grupos de controle das mesmas empresas. As pessoas que treinamos mostraram um aumento médio no volume de vendas de 17% mais que os grupos de controle. Em conseqüência, tenho certeza de que este livro apresenta métodos bem testados para aumentar os resultados em vendas. Ele já ajudou milhares de pessoas a ter mais sucesso em vendas maiores — e pode dar a mesma ajuda a você.

Mais de 10 mil vendedores em 23 países concordaram generosamente em deixar os pesquisadores da Huthwaite viajarem com eles e observá-los em ação durante visitas de vendas. Este livro é sobre eles e para eles com nossos agradecimentos. Portanto, agradeço a mais de mil gerentes de vendas que fizeram parte de programas que dirigimos em todo o mundo e que ajudaram a aprimorar as idéias que apresento aqui.

Por fim, há mais de cem pessoas que se envolveram diretamente na própria pesquisa e no desenvolvimento de nossas idéias. Não posso incluí-las todas, mas faço uma menção especial a Peter Honey e a Rose Evison, que trabalharam conosco para desenvolver a metodologia original de análise de comportamento

Prefácio

utilizada em nossa pesquisa. Dessa base metodológica, conseguimos produzir alguns instrumentos de mensuração inicial que nos permitiram fazer um exame quantitativo, pela primeira vez científico, nas visitas de vendas. Nos primeiros estágios, Roger Sugden merece menção especial como o primeiro membro da equipe de pesquisa da Huthwaite a usar esses métodos iniciais.

Pelo desenvolvimento do próprio Modelo **SPIN**, agradecemos a Simon Bailey e a Linda Marsh, que ajudaram durante os estudos iniciais de campo para validar o Modelo **SPIN**. Muitos outros colegas da Huthwaite ajudaram, inclusive Dick Ruff e John Wilson, cuja experiência como treinadores me proporcionou insights valiosos sobre como expressar muitos dos conceitos que descrevo aqui. Também agradeço a Joan Costich, que me ajudou a revisar o manuscrito, e a Elaine Ailsworth, que preparou as ilustrações.

As pessoas fora da Huthwaite que deram contribuições substanciais incluem Masaaki Imai, da Cambridge Corporation, que adaptou nossos modelos para se adequarem ao fascinante ambiente de vendas japonês; Jan van den Berg, da McKinsey and Co., que me forçou a expressar esses conceitos em menos palavras do que eu achava serem suficientes; e a Harry Gaines, cujos instintos para layout e apresentação mudaram o formato do livro.

Neil Rackham

1
Comportamento e Sucesso em Vendas

Um vice-presidente de Vendas encontrou-me no aeroporto de O'Hare e, em minutos, atravessamos de carro os subúrbios de Chicago. Não perdemos tempo falando de negócios. "Quero que você faça esta pesquisa", ele me explicou, "porque nossas vendas estão cerca de 30% abaixo do que deveriam. Como você sabe, somos uma empresa da lista *Fortune100* e investimos muito em recrutamento e treinamento. No entanto, não estou obtendo os resultados desejados. Quero que vocês procurem pessoas para viajar com alguns de meus representantes de vendas e descubram o que há de errado."

Tratava-se de uma ótima oportunidade. Minha empresa, a Huthwaite, trabalhou muitos anos para desenvolver um método chamado de análise comportamental, que nos permitia observar vendedores no trabalho e identificar quais comportamentos de vendas utilizados por eles eram os mais ligados ao sucesso. Agarrei a chance de experimentar novos métodos. Usando nossa equipe de pesquisa e alguns gerentes da própria organização do vice-presidente, observamos em campo como os funcionários dele se comportavam em visitas de vendas.

Dois meses depois, estávamos prontos para encontrá-lo novamente e expor nossas constatações. Na sala de reunião, ao me levantar para falar ao vice-presidente e à sua equipe de gerenciamento de vendas, sabia que ele não gostaria de ouvir o que tínhamos a dizer. Decidi primeiro tratar de coisas mais amenas, então disse que tínhamos observado 93 visitas e estivemos com alguns de seus profissionais de melhor desempenho e com alguns que — bem, procurei uma forma delicada de dizer — não chegavam a ser os melhores.

"Sim", ele disse, com impaciência. "Não precisa me lembrar disso. O que vocês constataram?"

Respondi com cautela. "Primeiro vamos discutir o que está acontecendo nas visitas de vendas bem-sucedidas", sugeri, "e ver o que as diferencia. Descobrimos..."

"Deixe-me adivinhar", ele interrompeu. "Vocês estiveram com alguns de nossos astros. Acho que sei qual é a diferença nas visitas deles. Eles sabem fechar vendas. Estou certo?"

Hesitei por um momento. "Não muito", respondi, "pelo menos não se você quer dizer com isso que eles usam muitas técnicas de fechamento. De fato, nas visitas bem-sucedidas registramos muito menos fechamentos do que nas visitas que fracassaram."

"É difícil acreditar nisso", ele protestou. "O que mais descobriu?" Antes que eu pudesse responder: "Acho que lidar com objeções poderia ser tão importante quanto o fechamento", ele admitiu. "Talvez meus principais funcionários saibam superar objeções."

Algo me dizia que seria uma reunião difícil. "Ah, de novo, não foi bem isso", respondi. "Descobrimos que suas visitas bem-sucedidas continham muito poucas objeções. Em termos de habilidades na condução de objeções, não notei diferença entre os melhores e os piores funcionários."

Obviamente, eu não devia ter dito aquilo. Um dos gerentes de vendas presentes sugeriu: "Por que você não nos diz o que constatou sobre as habilidades de sondagem?". Era uma tentativa de nos ajudar. "Acho que isso seria mais útil."

O vice-presidente animou-se visivelmente. "Sim", disse ele, "as habilidades exploratórias são muito importantes. Quando sou convidado para dar aulas de treinamento em vendas, sempre enfatizo o quanto é essencial, em vendas, fazer boas perguntas. Muitas perguntas abertas — você sabe, aquelas que não podem ser respondidas em apenas uma palavra. Eu digo aos novos funcionários para evitarem perguntas fechadas e se concentrarem em fazer mais dessas perguntas abertas. Foi isso que você viu meu pessoal fazer, não?"

Fui encostado contra a parede e estava encrencado. Com a voz hesitante, respondi: "Você está certo ao afirmar que as boas habilidades exploratórias são importantes. Contudo, ao observar seu pessoal vendendo, não parece importar se as perguntas deles são abertas ou fechadas. De fato, seus melhores funcionários não são diferentes dos piores em termos de como usam perguntas abertas e fechadas."

O vice-presidente ficou indignado. "Você está falando sério?", ele perguntou, incrédulo. "Você percebe que tomou as três áreas mais importantes em vendas — fechamento, lidar com objeções e investigar — e me disse que elas não importam?" Ele olhou à volta da mesa e perguntou: "Não é o que esse cara está dizendo?" Fez-se um silêncio constrangedor. Finalmente, um dos gerentes juniores falou, escolhendo as palavras com cuidado.

"Se o que ele está dizendo estiver certo", começou com cautela o gerente júnior, "eu devo questionar, então, se perdemos muito tempo e dinheiro em nosso treinamento de vendas. Afinal, é exatamente o que estamos treinando as pessoas a fazer — descobrir necessidades usando perguntas abertas e fechadas, superar objeções e fechar o negócio."

O vice-presidente refletiu por um momento. "Tem razão", ele disse. "Essas são as três ações principais que ensinamos a nossos vendedores. E não apenas nós — é isso que outras grandes corporações ensinam a seu pessoal também." Ele tentou se lembrar. "É o que a IBM ensina", ele disse. "É o que a GTE faz, a Xerox e a AT&T também."

"E a Honeywell e a Exxon", acrescentou um de seus gerentes.

"Eu estava na Kodak", disse outro, "e esses eram os três pontos principais no treinamento de vendas deles."

O vice-presidente virou-se para mim. "Não quero lançar dúvidas à sua capacidade de pesquisar", disse ele, "e agradeço-lhe por seus esforços. Entretanto, tenho certeza de que você entenderá que suas conclusões vão contra nossa experiência — e a experiência de outras importantes corporações. Por isso, somos forçados a acreditar que suas conclusões estão erradas."

A reunião estava encerrada. Como jovem pesquisador, pouco conhecido, eu não tinha o poder de questionar a relevância do treinamento de vendas das principais empresas do mundo. Lambi minhas feridas durante o vôo para casa e, para ser honesto, tive de admitir que minhas evidências não eram fortes o suficiente para serem convincentes. Se eu estivesse no lugar do vice-presidente, também não teria dado ouvidos a elas.

Desde aquela reunião desagradável, meus colegas e eu temos coletado muito mais evidências contundentes. Passamos 12 anos analisando mais de 35 mil transações de vendas. Estudamos 116 fatores que poderiam ter um papel no desempenho de vendas e pesquisamos vendas satisfatórias em 27 países. Nossos estudos constituem a maior investigação sobre sucesso em vendas. Agora, tendo obtido o benefício de uma pesquisa tão profunda, poderíamos dar a esse vice-presidente. Algumas respostas convincentes. Poderíamos dizer a ele, por exemplo, que:

- O treinamento em vendas dele era válido para vendas simples. O que descobrimos foi que os métodos tradicionais de vendas que seu pessoal estava usando paravam de funcionar quando as vendas se tornavam maiores. Era por isso que seus melhores representantes, que estavam fazendo vendas de alto valor, já não podiam se apoiar em técnicas como lidar com objeções e fechamento.

- Agora sabemos que existem técnicas muito mais efetivas que profissionais bem-sucedidos usam em vendas grandes. Na época não entendíamos tão bem desses métodos para descrevê-los convincentemente, mas agora seríamos capazes de dizer ao vice-presidente como seus melhores vendedores estavam usando uma estratégia poderosa de exploração (ou investigação) chamada **SPIN** e que esta, mais do que qualquer outra habilidade de vendas, respondia pelo sucesso deles.

Além disso, também poderíamos dizer a ele algo igualmente convincente sobre as empresas que ele citou e que estavam ensinando os tradicionais modelos de investigação com perguntas abertas e fechadas, a superarem objeções e a fazerem o fechamento. Embora nenhum de nós soubesse disso na época, muitas dessas corporações estavam bastante descontentes com a utilidade dessas habilidades tradicionais em vendas. Desde então, mais de dois terços das empresas citadas durante a reunião procuraram a Huthwaite, pedindo-nos uma reformulação de seu treinamento em vendas para contas grandes. Com base em nossa pesquisa sobre o que aumenta o sucesso nas vendas, temos ajudado essas empresas a substituírem os modelos tradicionais de vendas por um treinamento novo e mais eficaz.

Sucesso na Venda Grande

A pesquisa tem uma forma inconveniente de chegar a evidências que os pesquisadores às vezes gostariam de nunca descobrir. Foi o que aconteceu comigo. Eu estava totalmente satisfeito com as teorias tradicionais de vendas. Quando começamos nossas investigações, nossa meta era mostrar que os métodos clássicos de treinamento em vendas funcionavam realmente e tinham um impacto positivo no sucesso delas. Só depois de descobrirmos o fracasso consistente no treinamento em vendas para aprimorar resultados em vendas grandes foi que iniciamos a longa pesquisa que nos levou ao desenvolvimento dos métodos descritos neste livro. Antes de nossa pesquisa, eu me dava por satisfeito em pensar nas vendas nos termos tradicionais, que nossas descobertas agora desafiam. Aprendi — e talvez você também — que uma visita de vendas consiste de alguns passos simples e distintos:

1. *Abertura.* As teorias clássicas de vendas ensinam que o método mais efetivo para iniciar visitas de vendas é encontrar meios de se relacionar com os interesses pessoais do comprador e fazer as declarações iniciais de benefícios. Conforme descrito no Capítulo 7, nossa pesquisa mostra que esses métodos de abertura podem ser eficazes em vendas simples, mas talvez tenham um registro de sucesso duvidoso em vendas maiores.

2. *Investigando necessidades.* Quase todos que passaram por treinamento em vendas nos últimos 80 anos aprenderam sobre perguntas abertas e fe-

chadas. Esses métodos clássicos de fazer perguntas podem funcionar em vendas simples, mas certamente não o ajudarão nas maiores. Mais adiante, neste capítulo, apresentarei um método mais eficaz de investigar, que descobrimos a partir da análise de vários milhares de visitas de vendas e da observação de alguns dos melhores vendedores do mundo em ação.

3. *Oferecendo benefícios.* Uma vez descobertas as necessidades, o treinamento tradicional de vendas ensina a apresentar as vantagens que mostram como as características de seu produto ou serviço podem ser utilizadas ou ajudam o cliente. Oferecer benefícios dessa forma pode ser muito útil na venda simples, mas na grande é um fracasso total. O Capítulo 5 introduz um novo tipo de benefício que a pesquisa mostra ser bem-sucedido nas vendas grandes.

4. *Manejo de objeções.* Provavelmente, você aprendeu que superar objeções é uma habilidade vital para o sucesso em vendas e conhece as técnicas-padrão para lidar com objeções, como esclarecer a objeção e formulá-la de um modo aceitável. Essas habilidades de lidar com objeção são boas quando se está fazendo vendas simples, mas nas vendas grandes elas contribuem muito pouco para a sua eficácia. Vendedores bem-sucedidos concentram-se em evitar a objeção, e não em lidar com ela. Com base em nossa análise de como eles fazem isso, o Capítulo 6 descreve métodos que podem ser utilizados para reduzir em mais da metade o número de objeções recebidas dos clientes.

5. *Técnicas de fechamento.* As técnicas de fechamento que podem ser efetivas em contas menores realmente irão fazê-lo perder negócios à medida que as vendas tornam-se maiores. A maioria das técnicas de fechamento ensinadas simplesmente não funciona para vendas maiores. O Capítulo 2 descreve maneiras efetivas de obter o compromisso do cliente nessas vendas.

Em suma, os tradicionais modelos, métodos e técnicas de vendas que a maioria de nós foi treinada a usar funcionam melhor em vendas simples. Por ora, quero definir como simples uma venda que normalmente pode ser completada em uma única visita e que envolve um valor menor em dinheiro. Infelizmente, essas técnicas testadas e comprovadas para vendas de menor valor — a maioria delas data da década de 1920 — não funcionam hoje em vendas complexas, de alto valor. O problema com essas técnicas não é que elas estão desatualizadas; as pessoas não as estariam usando depois de 80 anos, a não ser que tivessem algo válido a oferecer. Sua inadequação, e minha razão para este livro, é que essas técnicas só funcionam efetivamente em vendas muito simples, de baixo valor. Uma vez que a maioria dos escritores e designers de treinamento fez a suposição imprecisa de que o que funciona em uma venda simples funcionará automaticamente em uma mais complexa, as pessoas infelizmente passaram a supor que essas técnicas tradicionais de vendas são igualmente válidas em vendas grandes, mas neste livro será mostrado que o que funciona em vendas simples pode afetar o seu sucesso à medida que as vendas crescem — e eu apresentarei nossas descobertas de pesquisa que revelaram modelos novos e melhores para o sucesso em vendas grandes.

A Venda Grande

Escrevo este livro para pessoas cujo negócio é a venda grande — que, como eu, ficaram insatisfeitas com a eficácia dos tradicionais modelos de vendas e estão procurando algo mais sofisticado. Muitos dos vendedores que atendem contas-chaves com quem eu trabalho reclamam que os treinamentos de vendas tradicionais os tratam como se estivessem vendendo carros usados. Ou pior, tratam seus clientes como tolos, esperando que sejam seduzidos por afirmações enganosas e manipulação. Programas desse tipo, lamentavelmente, são a regra na maioria das organizações, e não a exceção — e suas recomendações são uma receita para o desastre em vendas grandes. O principal objetivo de nossa pesquisa tem sido substituir esses modelos simplistas por aqueles destinados especialmente à interação de negócios de alto nível que as vendas grandes exigem.

Tem-se escrito mais sobre a definição de vendas grandes do que sobre como obter sucesso nesse tipo de vendas, uma vez que estas foram definidas. Não vou aborrecer ninguém com definições. Estou certo de que qualquer que seja o termo utilizado — quer se fale de vendas para contas-chave ou apenas "as grandes" — qualquer um sabe o que é uma venda grande quando encontra uma.

O que farei é passar brevemente por algumas características de vendas grandes em termos de psicologia do cliente. São as mudanças nas percepções e no comportamento do cliente que tornam as vendas grandes diferentes. Vamos examinar algumas dessas diferenças e como elas podem afetar sua venda.

Duração do Ciclo de Vendas

Enquanto uma venda simples, de baixo valor, pode muitas vezes ser efetivada em uma única visita, uma venda grande pode exigir visitas durante meses. Um de nossos ex-colegas de classe, que atua como vendedor no setor de aeronaves, uma vez levou três anos sem fazer uma única venda. À primeira vista, parece que estou fazendo a observação óbvia de que as vendas grandes demoram mais para serem feitas. É mais que isso. É importante saber que as vendas que exigem muitas visitas têm uma psicologia completamente diferente daquelas que requerem uma apenas. Um fator-chave é que em uma venda feita em uma única visita a decisão de compra geralmente é tomada na presença do vendedor, mas em uma venda multivisitas as discussões e as deliberações mais importantes prosseguem quando o vendedor não está presente, durante o intervalo entre as visitas.

Suponhamos que eu seja um comunicador brilhante capaz de fazer uma apresentação convincente do produto. Eu provavelmente me sairei bem em uma venda pequena. Isso acontece porque a pessoa a quem estou vendendo pode ficar suficientemente impressionada com a excelência de minha apresentação para dizer sim no ato e me dar o pedido. O que ocorre, porém, quando se trata de um ciclo de vendas mais longo, no qual eu não obtenha o pedido imediatamente depois de fazer minha apresentação? Quanto do que eu disse o cliente se lembrará amanhã, depois que eu for embora? Ele seria capaz de repetir minha sofisticada apresentação para seu chefe?

Perguntas como essas nos levaram a fazer um pequeno estudo em uma empresa de produtos para escritório, por meio do qual descobrimos que menos da metade dos pontos principais que os vendedores trataram em suas apresentações de produto era lembrada pelos clientes uma semana depois. Pior ainda, os clientes que nos disseram logo após a apresentação que provavelmente comprariam os produtos perderam muito do entusiasmo por eles em uma semana.

Uma boa apresentação de produto pode ter um efeito *temporário* sobre um cliente, mas, alguns dias depois, grande parte dele se perdeu. Por isso, se for possível ter uma decisão no ato — como normalmente pode haver em uma venda de uma única visita — então não há razão para não usar o efeito temporário de uma apresentação de produto para aumentar o entusiasmo do cliente e ajudá-lo a fechar o negócio de imediato. Entretanto, você vai se lamentar se não conseguir uma decisão imediata. Na semana seguinte seus clientes terão se esquecido de muito do que foi dito e perdido o entusiasmo pelo seu produto.

Outra de nossas descobertas, que examinaremos mais detalhadamente no Capítulo 6, foi que na venda de uma única visita, é preciso vender o produto sob pressão, superando qualquer objeção e forçando o fechamento do negócio — mas em uma venda multivisitas esse estilo pode ser perigoso e malsucedido. Por quê? Talvez a experiência como comprador nos dê a resposta. Lembro-me, por exemplo, de entrar em um showroom de automóveis há alguns meses. O vendedor era um daqueles tipos insistentes muito comuns no comércio automotivo. Depois de algumas perguntas superficiais, ele me deu um ultimato, usando todos os fechamentos clássicos encontrados em livro. Eu não estava pronto para decidir. Por isso, a pressão dele foi desagradável e irritante. Depois de finalmente escapar, fiz todo tipo de jura solene para nunca mais voltar naquele showroom. Tenho certeza de que você já passou por essa experiência. Poucos clientes se sujeitarão a sentir pressão de novo. Em termos de sua própria venda, quando se pressiona um cliente potencial, talvez ele não deseje encontrá-lo novamente. A regra parece ser que não faz mal pressionar quando se consegue o pedido na hora, mas uma vez que você e seu cliente se despedem sem efetivar o pedido, a insistência reduziu a chance do sucesso final. E uma vez que o cliente não quer voltar a conversar, talvez nunca se descubra onde houve erro. Logo, embora um estilo de pressão e insistência possa funcionar em vendas menores, geralmente é prejudicial quando são necessárias várias visitas para conseguir o negócio.

Grau de Compromisso do Cliente

Por definição, grandes compras envolvem decisões mais complexas do cliente, e isso altera a psicologia da venda. Em uma venda pequena o cliente é menos consciente do valor. À medida que o tamanho da venda aumenta, os vendedores bem-sucedidos devem construir o valor percebido de seus produtos ou serviços. A construção do valor percebido é, provavelmente, a habilidade mais importante em vendas maiores. Nós a estudamos em detalhes e vários capítulos deste livro são dedicados a como aumentar o valor do que é oferecido aos clientes.

Há muitos anos começamos um estudo que, em virtude de uma reorganização na força de vendas de nosso cliente, nunca foi completado. É uma pena, porque se tratava de como a necessidade de vender valor aumenta à medida que as vendas aumentam. O cliente, que vendia produtos de alto custo, tinha nos pedido orientação quanto à possibilidade de recrutar novos vendedores cuja única experiência anterior em vendas tivesse sido com produtos mais baratos. No ponto onde o projeto parou, estávamos chegando a algumas respostas interessantes. Descobrimos que os vendedores que não eram bem-sucedidos na transição para vendas maiores eram aqueles que tinham dificuldade em construir a percepção de valor do cliente.

Lembro-me de encontrar com uma dessas pessoas não muito bem-sucedidas no aeroporto de Buffalo, antes de sair com ele para fazer algumas visitas. Sentado em um banco, com sua maleta aberta, ele estava cercado de literatura de produtos suficiente para manter uma fábrica de papel reciclado funcionando durante meses. Ele explicou, desanimado, que estava estudando os detalhes do produto porque acreditava que isso o ajudaria a ser bem-sucedido. "Em meu último emprego", ele explicou, "eu vendia bens de consumo e o meu conhecimento de produto fazia diferença". Ele podia ter razão, mas foi seu conhecimento de produto que o *impediu* de ter sucesso uma hora depois, quando não conseguiu convencer uma gerente de escritório a comprar uma grande copiadora. Era compreensível o nervosismo da cliente só de pensar em gastar dezenas de milhares de dólares. O vendedor tentou lidar com essa incerteza conversando sobre detalhes do produto, mostrando todo o seu conhecimento recém-adquirido do produto. Não funcionou. A cliente não estava disposta a comprar porque não via valor suficiente para justificar uma decisão tão importante. Afinal, suas copiadoras funcionavam relativamente bem. É certo que ha-

Comportamento e Sucesso em Vendas **23**

via problemas de confiabilidade e que a qualidade das cópias não era excelente, mas esses fatores justificariam um gasto na casa de cinco dígitos? Ela jamais faria isso — e tudo o que o vendedor sabia de cor não alteraria o fato básico de que sua cliente não percebia o valor.

Como ele deveria ter conduzido a visita? Os capítulos posteriores sobre a metodologia **SPIN** mostrarão em detalhes como construir um valor crescente em casos como este. A lição extraída da visita em Buffalo é: o que pode funcionar bem na venda menor pode agir contra você em vendas maiores.

O Relacionamento Contínuo

A maioria das vendas grandes envolve um relacionamento contínuo com o cliente. Em parte, isso ocorre porque as compras grandes geralmente exigem apoio pós-vendas — o que significa que o comprador e o vendedor devem se encontrar uma ou mais vezes após a venda. Além disso, as pessoas que vendem bens ou serviços de alto valor em geral obtêm grande parte de seus negócios cultivando seus clientes existentes. Em contrapartida, uma venda menor pode ser um evento único em que o comprador nunca mais encontrará o vendedor.

Como a duração do relacionamento afeta a psicologia de decisão do cliente? Talvez a maneira mais fácil de ilustrar isso seja através de um exame pessoal. Hoje em dia, como presidente da empresa, faço compras com mais freqüência que vendas. Algumas semanas atrás, como comprador, tive a noção exata de como o relacionamento contínuo de uma venda grande pode influenciar as decisões. Eu estava envolvido com um novo programa de projeção de despesas gerais para meu escritório, então pedi a um fornecedor local para enviar um representante de vendas para conversar comigo. Apareceu um indivíduo extremamente abjeto, que bem poderia ser encontrado vendendo fotos indecentes na periferia em algum antro mal freqüentado. "Hoje é seu dia de sorte", começou ele, "tenho certeza de que você mal pode esperar para ouvir o negócio que tenho pra você!" Na verdade, mal podia esperar que ele saísse de minha sala. Contudo, o preço dele era bom, eu precisava de um programa de projeção e nunca mais o veria. Então, encurtei a apresentação de vendas dele, dei-lhe o pedido e em cinco minutos ele foi embora. Do ponto de vista dele, a venda foi um sucesso. De certo modo, também foi um sucesso para mim, como comprador. Adquiri um novo programa de projeção a um bom preço — e só levou cinco minutos repugnantes.

Mais tarde, naquele dia, eu me envolvi em uma venda mais significativa. Estávamos pensando em mudar tanto o hardware quanto o software de nosso sistema contábil. A mudança significaria alguns computadores novos, uma solução integrada de software contábil e seis meses para integrar tudo. Estimei que falávamos de uma decisão de $ 70 mil. O vendedor era uma pessoa sensata — talvez um pouco superficial e ansiosa demais para fazer o negócio — mas certamente, representava um excelente aprimoramento em relação ao representante de programa de projeção de despesas gerais de quem efetuei uma compra naquele dia. No entanto, à medida que a visita prosseguiu, eu comecei a hesitar. Quanto à venda do programa de despesas gerais, o preço era bom — e certamente eu precisava de um novo sistema — mas relutava cada vez mais em ir em frente. "Pensaremos nisso e o avisaremos", eu lhe disse. Depois, quando analisei o que tinha acontecido, percebi que hesitei na compra do sistema informatizado porque eu não estava apenas adquirindo um produto, mas iniciando um relacionamento. Ao contrário do caso do programa de projeção de despesas gerais, quando eu esperava fervorosamente nunca mais ver o vendedor, com o computador eu estava iniciando uma decisão em que teria de trabalhar com o vendedor durante alguns meses. Não tinha certeza de que queria fazer isso.

Qual é a moral da história? Mais uma vez isso mostra que o que funciona em vendas menores pode se tornar inapropriado, à medida que o tamanho da decisão aumenta. Em uma venda pequena é relativamente fácil separar o vendedor do produto. Embora eu odiasse o vendedor do programa de projeção, gostei do produto o suficiente para comprá-lo. Com a decisão maior, porém, ficava cada vez mais difícil separar o vendedor do produto. Embora eu gostasse do sistema informatizado, não havia como eu comprá-lo sem comprar também o relacionamento com o vendedor. Uma vez que decisões maiores geralmente incluem um envolvimento contínuo com o cliente, elas exigem um estilo de venda diferente. Os capítulos seguintes analisam qual é essa diferença e como usá-la para construir relacionamentos duradouros com o cliente.

Se você se parece com os vendedores de contas-chaves com quem trabalho, às vezes se sentirá uma peça muito pequena da engrenagem de uma máquina de vendas grande e impessoal. Freqüentemente é difícil perceber um impacto mensurável de seu trabalho. Por isso, deve ser reconfortante saber que, à medida que as vendas crescem, o cliente coloca *mais* ênfase no vendedor como um fator na decisão. Em uma venda grande, produto e vendedor podem se tornar inseparáveis na mente do cliente.

O Risco de Erros

Em uma venda pequena, os clientes podem assumir riscos porque as conseqüências dos erros são relativamente pequenas. Eu mesmo tenho um closet cheio de bugigangas que comprei e não funcionaram ou tiveram menos utilidade do que eu imaginara. A prateleira de cima contém, entre outras coisas, dois discadores automáticos, uma cafeteira sofisticada e um relógio que anuncia a hora completa com um sotaque eletrônico improvável. Imagino que não seja o único a comprar coisas inúteis de vez em quando — talvez você tenha uma prateleira semelhante. Em todas as minhas compras inadequadas há um fator comum — ninguém precisa saber que eu errei. Se foi uma decisão de negócio, consegui escondê-la em meu orçamento de modo que nem a cronicamente desconfiada Betty, nossa controller orçamentária de olhos de águia, consiga descobrir.

Em uma decisão maior, porém, é diferente. Se eu compro o carro errado, não posso colocá-lo na prateleira onde minha esposa não perceba. Quando estou procurando um novo computador, pelo menos dez pessoas em minha empresa participam da decisão e, uma vez instalado, todos o usarão. Então, se o computador não funcionar, toda a minha empresa saberá que eu fiz uma escolha ruim. Decisões maiores são mais públicas e uma decisão ruim é muito mais visível.

Os clientes têm mais cuidado quando a decisão cresce. O preço da compra é um fator que aumenta a cautela, mas o medo de cometer um erro público pode ser até mais importante. Certa vez tive um cliente em Londres que comprou um projeto de pesquisa de $ 40 mil de mim em uma venda feita durante apenas uma manhã. A decisão envolvia seu orçamento e o de ninguém mais. Se a pesquisa não funcionasse, ele teria uma maneira de embutir o custo de modo que seria o único a saber. Por outro lado, tive de negociar muito mais tempo e com muito mais dificuldade com aquele mesmo indivíduo para fazê-lo gastar $ 1.500 adicionais em uma área em que seus colegas estariam diretamente envolvidos.

Os Quatro Estágios de uma Visita de Vendas

Vendas grandes são significativamente diferentes de vendas menores em termos de psicologia do cliente. Como resultado, exigem habilidades muito distintas de vendas. Seria tentador, com base nessas diferenças psicológicas, ir adiante e argumentar que *tudo* sobre a venda maior deva ser singular e diferente, mas isso seria tão inverídico quanto a suposição geral de que todas as vendas, grandes ou pequenas, exigem habilidades idênticas. Entretanto, um dos modelos mais simples de uma visita de vendas parece ser aplicável à venda, qualquer que seja seu tamanho; quase todas as visitas de vendas que você possa imaginar, da mais simples à mais sofisticada, passam por quatro estágios distintos (Figura 1.1):

Figura 1.1. Os quatro estágios de uma visita de vendas.

1. *Abertura.* Compreende as ações de aquecimento que ocorrem antes de iniciar a venda. Inclui aspectos como a maneira como se apresenta e como inicia a conversa. Algumas pessoas acreditam que a Abertura é muito mais importante do que a palavra sugere. Inúmeros vendedores bem-sucedidos me dizem confiantes que é nos dois primeiros minutos de uma visita que o cliente forma impressões iniciais cruciais que influenciarão o resto da venda. Qual é a importância desse impacto inicial? Quanto contam as primeiras impressões? Partilharei com você no Capítulo 7 algumas pesquisas que nos levaram a concluir que em vendas maiores a abertura tem menos influência no sucesso do que pensávamos.

2. *Investigação.* Quase toda venda envolve a descoberta de algo por meio de perguntas. Pode-se descobrir necessidades ou ter um entendimento melhor dos clientes e de suas organizações. Como veremos, isso é muito mais que a simples reunião de dados. Investigação é a mais importante de todas as habilidades de vendas, e é particularmente crucial em vendas maiores. No Apêndice A, você encontrará alguns estudos de caso que mostram que um vendedor médio de contas-chave pode aumentar o volume geral de vendas em mais de 20%, desenvolvendo habilidades aprimoradas de Investigação.

3. *Demonstração de Capacidade.* Na grande maioria das visitas, será preciso demonstrar aos clientes que existe algo que vale a pena oferecer. A maioria de nós, em vendas grandes, vende soluções para os problemas do cliente. Na fase de Demonstração de Capacidade da visita, é preciso mostrar aos clientes que existe uma solução e que ela oferece uma contribuição válida para ajudar a resolver os problemas deles. Às vezes se demonstra essa capacidade através de uma apresentação formal, às vezes mostrando o produto em ação, e às vezes descrevendo alguns benefícios potenciais que ele poderia fornecer. Apesar de fazer isso, em quase todas as visitas de venda é preciso convencer o cliente de que existe algo a oferecer. Há maneiras bem eficazes de demonstrar capacidade na venda grande, mas como veremos no Capítulo 5, alguns dos métodos para Demonstração Capacidade de vendas menores não funcionam quando o tamanho da venda aumenta.

4. *Obtenção do Compromisso.* Finalmente, uma visita de vendas bem-sucedida acabará com algum tipo de compromisso do cliente. Em vendas menores o compromisso geralmente é na forma de compra, mas em vendas maiores talvez haja toda uma gama de outros compromissos a obter antes de chegar ao estágio do pedido. Por exemplo, o objetivo da visita talvez seja fazer o cliente concordar em comparecer a uma demonstração de produto ou em testar um material novo ou lhe dar acesso a um executivo que toma decisões em nível mais alto e, em nenhum desses casos, o compromisso é

um pedido. Vendas maiores contêm inúmeros estágios que chamamos de Avanços. Cada etapa leva o compromisso do cliente para a decisão final. É nesta área, infelizmente, que as técnicas clássicas de fechamento ensinadas na maioria dos programas de treinamento em vendas são ineficazes e podem até prejudicar as chances de sucesso.

Esses quatro estágios — Abertura, Investigação, Demonstração de Capacidade e Obtenção de Compromisso — estão presentes em quase todas as visitas de vendas. Embora este modelo de quatro estágios seja muito simples, meus colegas e eu descobrimos que ele é útil porque nos permitiu dividir as visitas de vendas em uma série de estágios que podemos estudar separadamente. Eu voltarei a ele durante todo o livro, usando-o a fim de oferecer uma estrutura para explicar algumas de nossas descobertas de pesquisa.

Evidentemente, a importância de cada etapa vai variar de acordo com o tipo de visita. Lembro-me, certa vez, de ver um gerente de banco do Sul dos Estados Unidos, em Kentucky, vender serviços de trust a um cliente também sulista. Nesse caso, a abertura levou quase 80% da conversa. Antes de cada parte estar pronta para falar de negócios, houve um processo cuidadoso de aquecimento que estabeleceu alguns dados essenciais para se fazer negócio no sul rural dos Estados Unidos, como de onde você vem, quem você conheceu, se o seu tio tinha cavalos etc. Só depois de uma hora de cuidadosa conversa social, o cliente estava pronto para revelar algo sobre suas necessidades de negócio.

Em contrapartida, lembro-me da primeira vez em que fui a uma visita de vendas no distrito de confecções da cidade de Nova York. Não havia cadeiras no escritório do comprador. Presumi que isso significava que eu não deveria ficar tempo suficiente para precisar me sentar. Na parede atrás da mesa do comprador havia uma placa: "Desembuche e caia fora". Nessa visita a abertura consistia de "Olá, serei breve" do vendedor e um grunhido do comprador.

Às vezes, a Investigação pode levar quase toda a visita. Em vendas de serviços de consultoria, por exemplo, seria preciso descobrir muito sobre as necessidades do cliente antes de determinar se haveria base para um relacionamento profissional. Observei uma visita de vendas que durou um dia inteiro, feita por um consultor gerencial, em que todo o tempo, com exceção de 15 minutos, foi gasto na Investigação. No entanto, em outro extremo, já vi visitas em que a etapa de Investigação consistiu de apenas uma pergunta, o resto da visita envolveu uma elaborada demonstração de produto.

Portanto, o equilíbrio exato dos quatro estágios dependerá do tipo de visita, seu propósito e onde ela acontece no ciclo de vendas. Contudo, a maioria das visitas inclui todos os quatro estágios, mesmo que algumas delas sejam muito breves.

Qual Estágio É o Mais Importante?

Todos os quatro estágios são igualmente importantes para assegurar o sucesso de uma visita ou um é mais vital que os outros? A julgar pela ênfase dada pelo treinamento de vendas, pelos livros sobre vendas ou por gerentes experientes, a etapa de Obtenção de Compromisso se destaca como clara vencedora em termos de importância.

Quero citar um gerente de vendas em Rochester que, durante nossa pesquisa, escreveu-me uma carta na qual explicava por que ele pensava que Obter Compromisso era a etapa mais crucial da visita: "O resultado", ele escreveu: "é que se você não consegue fechar, não consegue vender. Estou convencido de que a maior parte dos vendedores é fraca de fechamentos. Se há uma coisa que eu desejo que meu pessoal faça melhor, é ser capaz de obter o compromisso do cliente com fechamentos melhores". Tenho certeza de que a maior parte dos gerentes que praticam vendas teria a mesma opinião.

Levantei a questão sobre a importância relativa dos quatro estágios de visitas porque a resposta depende do tamanho da venda. Em vendas pequenas, há certa evidência a sugerir que esse gerente que me escreveu está certo. As pessoas que sabem obter o compromisso — que são "boas" em fechamento — como diríamos — de fato têm muito sucesso em vendas menores. Na venda grande é outra história.

O Estágio da Investigação

O sucesso na venda grande depende, mais do que qualquer outra coisa, de como é conduzida a investigação na visita. Coletamos dados sobre habilidades de investigação de estudos extensos que envolvem muitos milhares de visitas de vendas.

Vamos começar revisando o estágio da Investigação da visita e por que ele é tão importante. Quase toda visita, como já disse, envolve Investigar — descobrir algo sobre o cliente que lhe permitirá vender mais efetivamente — e para investigar é preciso fazer perguntas. Cada um de nossos primeiros estudos de vendas, no final da década de 1960, chegou à mesma conclusão fundamental: Havia muito mais perguntas nas visitas de sucesso, aquelas que geram Pedidos e Avanços, do que naquelas visitas que resultaram em Continuações e Não-vendas, que classificamos como sem sucesso.

Perguntas e Sucesso

Não há dúvida sobre isso, as perguntas convencem mais que qualquer outra forma de comportamento verbal. E isso não acontece só nas vendas. Estudos de negociações, interações entre diretores e entrevistas de desempenho, e discussões de grupo — para citar apenas algumas das áreas estudadas pela Huthwaite e por outras equipes de pesquisa — todos chegaram ao mesmo fato básico. Há uma clara associação estatística entre o uso de perguntas e o sucesso da interação. Quanto mais perguntas, maior a probabilidade de que a interação seja bem-sucedida. E alguns tipos de pergunta são melhores que outros.

Tem sido prática-padrão em vendas distinguir entre dois tipos de pergunta, abertas e fechadas:

- *Perguntas fechadas* podem ser respondidas com uma única palavra, freqüentemente "sim" ou "não". Exemplos típicos de perguntas fechadas seriam: "Você toma as decisões de compra?" ou "Seu negócio atual tem mais de cinco anos?" Em alguns programas de treinamento estas são chamadas inquirições diretivas.
- *Perguntas abertas* exigem uma resposta mais longa. Exemplos típicos seriam: "Poderia me dizer algo sobre seu negócio?" ou "Por que isso é importante para você?" Perguntas abertas às vezes são chamadas de sondagem indireta.

Esse não é um conceito novo. E. K. Strong escreveu sobre vendas com perguntas abertas e fechadas em 1925, e há evidências de que a distinção remonta a bem antes. A maioria dos escritores durante os últimos 80 anos adotou a distinção entre perguntas abertas e fechadas e geralmente fez as seguintes observações sobre elas:

- Perguntas abertas têm mais força que as fechadas porque fazem o cliente falar e freqüentemente revelam informações inesperadas.
- Perguntas fechadas têm menos força, embora sejam úteis com determinados tipos de clientes, como o comprador falante que não consegue parar de falar.
- Embora as perguntas fechadas tenham menos força, pode-se ser compelido a usá-las em determinados tipos de visita — por exemplo, quando se dispõe de muito pouco tempo. Entretanto, alguns escritores duvidam disso.
- Perguntas abertas são extremamente importantes para o sucesso na venda maior, embora perguntas fechadas possam ter sucesso se a venda for pequena.
- Um objetivo geral do treinamento de vendas deveria ser ajudar as pessoas a fazerem mais perguntas abertas.

Essas conclusões parecem ser perfeitamente razoáveis e lógicas. Entretanto, elas serão válidas? Até onde eu poderia dizer, ninguém nunca investigou cientificamente se o sucesso da visita foi influenciado pelo uso de perguntas abertas ou fechadas. Pareceu-me uma área ideal para pesquisa.

Executamos vários estudos e ficamos surpresos ao descobrir que não há relação mensurável entre o uso de perguntas abertas e o sucesso. Em uma empresa manufatureira, acompanhamos 120 visitas e descobrimos que aquelas com muitas perguntas fechadas eram muito prováveis de levar a pedidos e a avanços. Em outro estudo em uma empresa de alta tecnologia, não descobrimos diferenças na composição de perguntas abertas e fechadas entre aquelas que têm desempenho alto e médio. Alguns dos melhores vendedores nessa empresa muito bem-sucedida não faziam perguntas abertas durante as visitas em que foram observados; todas as perguntas deles podiam ser respondidas com apenas uma palavra. No outro extremo, muitos dos melhores profissionais faziam apenas perguntas abertas. Alguns usavam os dois tipos. Não havia relação identificável entre sucesso e o uso de perguntas abertas e fechadas. Nós até executamos alguns estudos para descobrir se pessoas bem-sucedidas tendiam a iniciar a visita com perguntas abertas e então passavam para perguntas fechadas à medida que a argumentação continuava. Descobrimos que alguns vendedores bem-sucedidos adotaram, de fato, esse padrão. Todavia, também descobrimos um número igual de casos em que as pessoas obtinham sucesso começando com perguntas fechadas e, então, passavam progressivamente para perguntas abertas. Em outras palavras, nenhum de nossos estudos mostrou que a distinção clássica entre perguntas abertas e fechadas precisa de qualquer significado em visitas de vendas de alto valor.

A maioria das empresas está gastando uma fortuna para ensinar às pessoas uma distinção que — pelo menos na venda grande— não acrescenta nada em termos de aprimorar os resultados de vendas. Em uma estimativa conservadora, as corporações do mundo todo estão gastando acima de um bilhão de dólares por ano em treinamentos de vendas que ensinam às pessoas uma técnica irrelevante de questionamento. E o mais incrível é que, até nosso pequeno estudo, ninguém havia realizado pesquisa objetiva para descobrir se havia validade em tudo o que estava sendo ensinado sobre perguntas abertas e fechadas.

Uma Nova Direção

Decidimos que o foco de nossa pesquisa seria desenvolver modelos novos e positivos para formular perguntas que poderiam substituir os antigos, que estavam sendo muito insatisfatórios. A partir da observação de visitas de vendas, estava claro que pessoas bem-sucedidas não faziam apenas perguntas aleatórias. Havia um padrão distinto na visita bem-sucedida. Se pudéssemos vincular esse padrão ao sucesso, teríamos uma maneira melhor de pensar na Investigação do que a distinção aparentemente irrelevante entre perguntas abertas e fechadas.

Como se verá nos capítulos a seguir, descobrimos que as perguntas na visita bem-sucedida tendem a seguir uma seqüência que chamamos de **SPIN**. Em suma, a seqüência **SPIN** de perguntas é:

1. *Perguntas de situação.* No início da visita, pessoas bem-sucedidas tendem a fazer perguntas que reúnem dados sobre fatos e antecedentes. Perguntas típicas de Situação seriam: "Há quanto tempo você tem seu equipamento?" ou "Você poderia me dizer sobre os planos de crescimento de sua empresa?". Embora as Perguntas de Situação tenham um papel importante para descobrir dados, as pessoas bem-sucedidas não as utilizam demasiadamente porque muitas podem entediar ou irritar o comprador.

2. *Perguntas de Problema.* Uma vez estabelecidas informações suficientes sobre a situação do comprador, as pessoas bem-sucedidas tendem a passar para um segundo tipo de pergunta. Elas dizem, por exemplo: "Essa operação é difícil de efetuar?" ou "Você está preocupado com a qualidade da produção da máquina atual?". Perguntas como essas, que chamamos de Perguntas de Problema, exploram problemas, dificuldades e insatisfações nas áreas em que o produto do vendedor pode ajudar. Pessoas inexperientes geralmente não fazem Perguntas de Problema suficientes.

3. *Perguntas de Implicação.* Em vendas menores, os vendedores podem ter muito sucesso se souberem como fazer boas Perguntas de Problema e de Situação. Em vendas maiores, isso não basta; as pessoas de sucesso precisam fazer um terceiro tipo de pergunta. Esse terceiro tipo é mais complexo e sofisticado. É chamado de Pergunta de Implicação e exemplos típicos seriam "Como esse problema afetará sua futura rentabilidade?" ou "Que efeito esse índice de rejeição tem no nível de satisfação do cliente?" Perguntas de Implicação pegam o problema do cliente e exploram seus efeitos ou conseqüências. Como veremos, ao fazerem Perguntas de Implicação as pessoas bem-sucedidas ajudam o cliente a entender a seriedade ou a urgência de um problema. As Perguntas de Implicação são extremamente importantes nas vendas grandes e mesmo vendedores muito experientes raramente as fazem bem. Daremos muita atenção às Perguntas de Implicação neste livro.

4. *Perguntas de Necessidade de Solução.* Finalmente, descobrimos que vendedores de muito sucesso fazem um quarto tipo de pergunta durante a fase de Investigação. Ele é chamado de Pergunta de Necessidade de Solução e exemplos típicos seriam "Seria útil acelerar essa operação em 10%?" ou "Se pudéssemos aprimorar a qualidade dessa operação, como isso o ajudaria?". Perguntas de Necessidade de Solução têm vários usos, como veremos no Capítulo 4. Por ora, talvez o mais importante seja que elas

fazem o cliente dizer *a você* os benefícios que sua solução poderia oferecer. As Perguntas de Necessidade de Solução têm uma relação muito forte com o sucesso em vendas. Tem sido comum, em nossos estudos, descobrir que os profissionais com melhor desempenho fazem mais de 10 vezes mais Perguntas de Necessidade de Solução por visita que aqueles com desempenho médio.

O Modelo SPIN

Esses quatro tipos de pergunta — Situação, Problema, Implicação e Necessidades de Solução — formam uma forte seqüência de questionamento que as pessoas bem-sucedidas usam durante a etapa importantíssima de Investigação, na visita. Devo enfatizar que não é uma seqüência rígida. Os melhores profissionais não fazem todas as suas Perguntas de Situação antes de passarem para as Perguntas de Problema, por exemplo. Contudo, geralmente verifica-se que as Perguntas de Situação são feitas mais no início da visita e as outras seguem, em termos gerais, a seqüência S-P-I-N.

Neste livro examinarei atentamente essas perguntas **SPIN** e mostrarei maneiras de usá-las para aprimorar o sucesso em vendas grandes. Eu me basearei em estudos de pesquisa da Huthwaite, mas, além disso, usarei a experiência de meus colegas de treinamento, Dick Ruff e John Wilson, que conceberam programas que têm ajudado dezenas de milhares de vendedores de contas-chave das 500 maiores empresas indicadas pela revista *Fortune*, a aprimorarem suas habilidades e seu desempenho em vendas. As perguntas **SPIN** funcionam porque foram concebidas ao se observar pessoas bem-sucedidas em ação. Esperamos que, como milhares de pessoas que já as usaram, você considere **SPIN** uma ferramenta prática de vendas.

2
Obtenção de Compromisso: Fechar a Venda

A pesquisa da Huthwaite mostra que o sucesso na venda grande depende, mais do que qualquer outra coisa, de como o estágio de Investigação da visita é conduzido. Nem todos concordariam com essa conclusão. Para muitos escritores, Obtenção do Compromisso é o estágio mais importante de uma venda bem-sucedida. No início de nossa pesquisa, sem saber por onde começar, procuramos inúmeros especialistas para pedir orientação. Essas pessoas — escritores, treinadores e gerentes de vendas experientes — geralmente sugeriam que começássemos pela Obtenção do Compromisso, ou fechamento, como chamavam geralmente. O Fechamento, nos disseram, era o estágio da venda onde os elementos fundamentais para o sucesso seriam encontrados, de modo que deveríamos começar nossa pesquisa por aí. Fiquei impressionado com esse consenso sobre o fechamento, porque esses especialistas não pareciam concordar sobre muitos outros aspectos. Em conseqüência, nossos primeiros estudos de pesquisa centraram-se no fechamento, com o objetivo de descobrir quais técnicas eram mais eficazes na venda grande.

Como todos os pesquisadores, comecei pela leitura, procurando algumas pistas úteis para guiar nossas investigações. Passei algumas semanas na biblioteca procurando tudo o que podia encontrar sobre fechamento de vendas. Passei por mais de 300 referências. Todo livro sobre vendas tinha pelo menos um capítulo sobre fechamento. Alguns, como *101 Sure Fire Ways to Irresistibly Close Any Sale* [101 Maneiras seguras para fechar uma venda], tinham, conforme o próprio autor apresenta, cheio de modéstia, "a experiência de uma vida toda de sucesso em fechamento contida em apenas três horas de leitura".

Fiquei fascinado. Aqui estavam as respostas mágicas para gerar negócios. Os fechamentos sobre os quais eu li incluíram as velhas e boas técnicas-padrão que todo vendedor conhece, como:

Fechamento da Suposição. Presumindo que a venda já foi feita, pergunta-se, por exemplo: "Onde gostaria que fosse feita a entrega?", antes de o cliente concordar em comprar.

Fechamento ou/ou. Pergunta-se, por exemplo, "Prefere que a entrega seja na terça ou na quinta?" — novamente, antes de o cliente ter tomado a decisão de compra.

Fechamento última chance. Diz-se, por exemplo: "Se não pode tomar uma decisão agora, eu terei que oferecê-lo a outro cliente que está me pressionando para comprar".

Fechamento Intimidante. Diz-se, por exemplo: "O preço vai subir na próxima semana; por isso, se não fechar agora...".

Fechamento do bloco de pedido. Anotam-se as respostas do cliente em um formulário de pedidos, embora o comprador não tenha indicado disposição para tomar decisão de compra.

Além dessas técnicas básicas, descobri toda uma enciclopédia de fechamentos mais exóticos, como Chave de braço, Ben Franklin, Experimental e Duque de Wellington. Minha pesquisa inicial descobriu literalmente centenas de fechamentos e nesse intervalo de tempo estou certo de que novos fechamentos continuaram a aparecer com regularidade impressionante. No mês passado, estava lendo uma revista de uma companhia aérea que mencionava o Fechamento Banana — esse era novo para mim — e, no mesmo dia, minha correspondência continha um convite difícil de resistir para aprender mais sobre o Fechamento Meio-aberto — um segredo de sucesso em vendas que, de certo modo, eu tinha me esquecido.

Nenhuma outra área de habilidade em vendas é tão popular quanto o fechamento. Qualquer que seja a forma de mensuração, isso é comprovado, seja pelo número de palavras escritas, pelo número de horas instrucionais, seja pela metragem de filmes de treinamento suportados pelas novas gerações de vendedores. Certa vez, um editor importante me disse que não publicaria nenhum livro sobre vendas que não tivesse a palavra *fechamento* no título. Em pesquisas feitas com gerentes de vendas, quando se pergunta que habilidade eles mais gostariam de desenvolver em seu pessoal, o fechamento sempre aparecia como um claro vencedor. Logo, parece haver um apoio generalizado para o antigo provérbio de vendas: "O ABC da venda é Fechar Sempre". Neste capítulo eu perguntarei:

Obtenção de Compromisso: Fechar a Venda

- Quantas dessas técnicas realmente funcionam?
- Nas vendas maiores, de que modo fatores como preço e exigência do comprador influenciam no sucesso do fechamento?

O Que É Fechamento?

Infelizmente, muito poucos autores que têm escrito volumes sobre como fechar definiram o termo *fechamento*. Crissy e Kaplan escreveram inúmeros artigos na década de 1960 em que eles o chamaram de "as táticas utilizadas pelo vendedor para induzir à compra ou à aceitação da proposição". Como pesquisador, considero essa definição ampla demais. Na Huthwaite precisávamos de uma forma mais limitada, mais precisa de definir um comportamento de fechamento, por isso em nossos estudos definimos *fechamento* como:

Um comportamento utilizado pelo vendedor que implica um compromisso ou convida para um, de modo que a próxima declaração do comprador aceite ou negue esse compromisso.

Em termos mais digeríveis, um *fechamento* é qualquer coisa que coloca o cliente diante de algum tipo de compromisso. Essa definição abrange o espectro todo, desde simplesmente "tirar o pedido" até usar a técnica bastante complexa da "escada de 12 degraus".

O Consenso quanto ao Fechamento

O fechamento é uma área fértil para os gurus de vendas. Antes de analisar os estudos da Huthwaite, vamos introduzir alguns pontos apresentados por outros especialistas.

J. Douglas Edwards, chamado por seus discípulos de "o pai do fechamento", sugere que, em média, vendedores bem-sucedidos fecham em sua quinta tentativa e que quanto mais técnicas de fechamento usarem, mais bem-sucedidos eles provavelmente serão.

Alan Schoonmaker é até mais específico sobre o sucesso do fechamento. Ele também afirma que a pesquisa mostra que os vendedores bem-sucedidos fecham mais freqüentemente e usam mais tipos de fechamentos. E, como J. Douglas Edwards, ele prefere o número mágico 5, dizendo que "você não fez seu trabalho se saiu sem tentar o pedido pelo menos cinco vezes". Prestei atenção especialmente a Schoonmaker porque, na época, estava desenvolvendo um programa de treinamento em venda grande para a IBM e sabia que ele estava trabalhando em um programa parecido para os concorrentes da IBM.

P. Lund, em seu livro *Compelling Selling*, aconselha a fechar sempre que possível — "mesmo quando se está a milhas de distância do pedido". Outro escritor conhecido, Mauser, é mais restrito, aconselhando um número considerável de técnicas de fechamento à disposição de modo que quando uma fracassa, outra possa ser utilizada "até que, por fim, uma delas acabe acertando o alvo".

Eu poderia prosseguir, mas acho que já me fiz entender. O consenso entre os escritores sobre vendas parece ser o seguinte:

- As técnicas de fechamento estão bastante relacionadas ao sucesso.
- Deve-se usar muitos tipos de fechamentos.
- Deve-se fechar freqüentemente durante a visita.

O Início da Pesquisa

Comecei minha pesquisa sobre fechamento no final dos anos 1960. Na época, eu ainda era pesquisador universitário e a única coisa que sabia sobre vendas era que se tratava de uma interação entre pessoas em que o dinheiro mudava de mãos — e então eu ponderei que deveria ser capaz de encontrar empresas que me dessem recursos de pesquisa para descobrir como fazer esse dinheiro mudar de mãos mais rapidamente. Eu estava certo. Grandes empresas multinacionais estavam interessadas nisso e eu consegui os recursos.

Conversando com Vendedores

A etapa seguinte era me reunir com o máximo possível de vendedores. Passei muito tempo em escritórios de agências, reuniões e encontros informais só ouvindo pessoas falarem sobre vendas. Fiquei surpreso com a freqüência com que a conversa passava para técnicas de fechamento, e com o entusiasmo que isso gerava. "Ouvi um bom fechamento outro dia", eles diriam, ou "Você já tentou este Fechamento Gelignite?" ou "Você conhece a velha rotina 'minha caneta ou a sua'? Bem, semana passada..." Fiquei convencido de que as conversas entre vendedores sobre uma técnica de vendas era uma boa indicação da sua utilidade. Nesse sentido, o fechamento parecia despontar como vencedor.

Isso não é tudo, porém: acabei me envolvendo em uma avaliação de alguns programas de treinamento que estavam sendo conduzidos por vendedores experientes. Fiz perguntas aos participantes e descobri algo que me convenceu ainda mais de que o fechamento poderia ser a mais importante das habilidades de vendas. O participante médio podia enumerar quatro técnicas diferentes de fechamento, mas era incapaz de citar mais de uma técnica para abrir a venda ou para lidar com objeções. Menos da metade das pessoas a quem fiz perguntas conseguiu especificar uma única técnica para investigar as necessidades do cliente além do simples "fazer perguntas". O grupo parecia saber mais de fechamento do que sobre todas as demais habilidades em vendas somadas juntas.

O Fechamento na Prática

Conversar com outras pessoas certamente influenciou minhas opiniões. Contudo, não há nada tão forte quanto a experiência pessoal da vida real — foi isso que finalmente me convenceu de que o fechamento era, de longe, a mais importante das habilidades em vendas. Deixei meu emprego seguro na universidade e montei a organização Huthwaite. Agora, percebi, as vendas deixaram de ser apenas um estudo acadêmico para mim. Eu tinha de vender meus serviços ou passaria fome. Então me inscrevi em um programa de treinamento em vendas — e prestei atenção especialmente na área de técnicas de fechamento.

Uma semana depois do programa, eu tinha hora marcada com um cliente potencial com quem estive conversando por vários meses, na tentativa de vender um projeto de pesquisa. Decidi tentar um Fechamento ou/ou. Eu nunca me esquecerei do resultado. "Vamos começar em setembro ou em novembro?" perguntei, um tanto nervoso. "Vamos começar em setembro", respondeu meu cliente — e eu consegui minha primeira grande venda. Fiquei maravilhado. Disse as palavras mágicas e fui recompensado com um pedido. Nem J. Douglas Edwards, o pai do fechamento, teria ficado mais entusiasmado com fechamentos do que eu naquela hora. Durante mais de um ano depois de meu primeiro sucesso, não fechei mais nada. Agora percebo quanto custou a mim e à minha empresa a perda de muitos dos negócios durante aquele ano. Entretanto, na época eu estava totalmente convencido de que o negócio era pressionar o fechamento. Afinal, minha experiência pessoal mostrou que usar um Fechamento ou/ou tinha me dado meu primeiro grande negócio. Eu *sabia* que o fechamento funcionava.

Vejo, agora, o meu entusiasmo para fechar vendas, na época, com grande constrangimento. Com o que sei sobre o sucesso na venda grande, considero as técnicas de fechamento um tanto ineficazes e perigosas. Tenho evidências de que elas levam muito mais à perda de negócios do que à sua conquista. O que fez-me voltar contra métodos que pareciam tão importantes para o meu sucesso? O restante deste capítulo descreve a série de estudos que, finalmente, me convenceram de que as tradicionais técnicas de fechamento não têm lugar em vendas maiores.

Pesquisa Inicial

Começamos nossa pesquisa na Huthwaite com a clara expectativa de que encontraríamos uma forte correlação positiva entre o número de vezes que um vendedor recorria ao fechamento e a realização de uma venda. Eu esperava que, com certeza, o número mágico de cinco tentativas de fechamento por visita, recomendado tanto por Edwards quanto por Schoonmaker, se revelaria correto.

Resultados Inesperados

Nosso primeiro estudo aconteceu em uma grande fabricante de equipamentos para escritório. Uma forma de estabelecer a ligação entre o fechamento e o sucesso, ponderamos, seria viajar em campo com vendedores e observar quantas vezes eles usavam uma técnica de fechamento durante a visita. Se aqueles que escrevem sobre fechamento estivessem corretos, deveríamos constatar que visitas com muitas tentativas de fechamento teriam mais sucesso do que aquelas em que os vendedores não tentavam fechar com tanta freqüência. Saímos e observamos um total de 190 visitas. Dessas visitas, tomamos 30 em que os vendedores fechavam com mais freqüência e comparamos o sucesso deles com as 30 em que os vendedores fecharam menos.

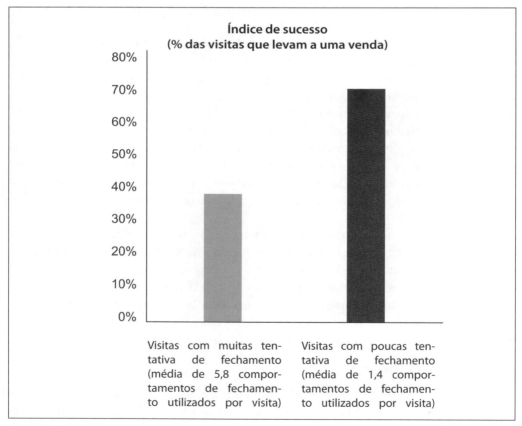

Figura 2.1. Sucesso de visitas com muitas tentativas de fechar *versus* poucas tentativas de fechar.

Obtenção de Compromisso: Fechar a Venda **39**

Como mostra a Figura 2.1, os resultados não foram o que esperávamos. Somente 11 das visitas com muitas tentativas de fechamento resultaram em uma venda, enquanto 21% das visitas com poucas tentativas de fechamento resultaram em venda. Essa conclusão não era exatamente uma boa notícia para o dado "ideal" citado freqüentemente de cinco tentativas de fechar por visita. Todavia, eu não desanimei: um pequeno estudo certamente não poderia abalar minha fé no fechamento. Talvez, raciocinei, houvesse algo errado com nossa metodologia. Mais análises de nossos resultados revelaram, *de fato*, algumas fraquezas potenciais. Por exemplo, é possível — apenas por acaso — que as visitas com poucas tentativas de fechar fossem a clientes que estivessem preparados para comprar de qualquer modo, por isso o vendedor não precisou fechar; da mesma forma, as visitas com várias tentativas de fechar poderiam ter sido a clientes mais resistentes. Outro problema era que nossa amostra, embora estatisticamente significativa, era pequena. Não tínhamos como controlar as variáveis intervenientes.

Com base apenas nesse estudo, não podíamos concluir que as técnicas de fechamento eram ineficazes. Em uma carta a meu cliente para explicar nossas conclusões, escrevi: "Ainda não conseguimos demonstrar a ligação entre fechamento e sucesso". Contudo, analisando agora, vemos que não podíamos dizer que esse estudo tinha sido uma vitória retumbante para a escola de vendas que defendia: "tente fechar logo de início, force o fechamento e tente fechar freqüentemente".

Sentimentos Desagradáveis

A pesquisa não envolve apenas números. Ao observar o fechamento em 190 visitas, comecei a sentir uma ansiedade que não podia quantificar. Para ser honesto comigo mesmo — embora não tivesse confessado isso na época — minhas primeiras dúvidas sobre o fechamento podem ter surgido nesse estudo. Por exemplo, notei um antagonismo claro em alguns clientes, principalmente em compradores profissionais, quando qualquer técnica de fechamento era utilizada, além de uma simples tentativa de obter o pedido. Em uma das visitas, o vendedor e eu fomos descartados por um cliente irritado depois de um diálogo como este:

> VENDEDOR: Então, Sr. Robinson, o senhor pode ver que nosso produto é, sem dúvida, o melhor para o senhor — basta assinar aqui. (Fechamento da Suposição)
> COMPRADOR: Espere um momento — eu não vejo... Eu não decidi.
> VENDEDOR: Mas, Sr. Robinson, eu lhe mostrei como podemos aprimorar a eficiência de seu escritório e lhe poupar problemas e também dinheiro — então, se puder decidir quando gostaria que a entrega... (Fechamento da Suposição)

COMPRADOR: Não vou fazer isso. Não vou tomar a decisão nesta semana.
VENDEDOR: Mas como expliquei, este modelo está sendo muito procurado. Posso deixá-lo agora, mas se o senhor esperar até a próxima semana, poderá haver muitos meses de espera. (Fechamento Intimidante)
COMPRADOR: Esse é um risco que terei de assumir.
VENDEDOR: O senhor preferiria uma instalação de um mês como experiência, ou seria melhor para seu orçamento comprar de vez? (Fechamento ou/ou)
COMPRADOR: Eu vou expulsá-lo de meu escritório. Diga-me, você e seu amigo no canto preferem sair por vontade própria ou querem que eu chame o segurança?

Como comentou o vendedor, bastante magoado, após a visita, não parece ser justo o comprador usar um Fechamento ou/ou para mandá-lo embora. Presenciamos vários episódios como esse e foram suficientes para semear aquelas primeiras dúvidas sobre fechamento, principalmente na venda grande.

Problemas de Atitude

Nessa época, tive a oportunidade de ver o fechamento de um ângulo completamente diferente. O diretor de marketing de uma importante indústria química tinha um problema a resolver e nos procurou.

"Estou preocupado", disse ele, "com alguns de meus vendedores. Eles adotaram uma atitude de insegurança para fechar vendas. Eles não são agressivos o suficiente. Sei que *podem* fechar — eles tiveram treinamento — mas alguns deles simplesmente têm uma atitude problemática. Pode nos ajudar?"

Era uma oportunidade boa demais para perder. Meus colegas e eu concordamos em elaborar uma escala de atitude de fechamento para comparar as atitudes dos vendedores com seus registros de vendas, esperando elaborar, no final, um teste de atitude que pudesse ser utilizado para selecionar novos candidatos. Aqueles que tivessem pontuações altas em nosso teste de atitude de fechamento deveriam ter um potencial maior de vendas. O diretor de marketing e eu esperávamos, evidentemente, constatar que os vendedores que tivessem uma atitude favorável ao fechamento de vendas deveriam vender mais.

A fim de descobrir a atitude dos 38 membros da força de vendas, meus colegas e eu medimos o nível de concordância (ou discordância) deles com 15 elementos-chave sobre fechamento. O método utilizado costuma ser chamado de Escala Lickert. Se você é o tipo de pessoa que gosta de fazer testes, descobrirá que eu incluí a escala no Apêndice B deste livro, juntamente com as instruções para fazer a contagem de sua própria atitude sobre fechamento. Provavelmente, você terá uma idéia mais verdadeira de como se sente quanto ao fechamento atualmente, se fizer o teste agora, antes de ser influenciado pelo restante deste capítulo.

Quando usamos esse teste na indústria química, descobrimos que 21 dos 38 vendedores tinham uma pontuação superior a 50, que estipulamos como a pontuação mínima para classificarmos a atitude deles como "favorável". Então, comparamos os resultados de venda para descobrir se o grupo que tinha uma atitude favorável quanto ao fechamento estava mesmo vendendo mais. Ficamos surpresos com os resultados, que são mostrados na Figura 2.2. Como você pode ver, aqueles vendedores com uma atitude favorável ao fechamento estavam abaixo da meta, e não acima. Nossas esperanças para um teste de seleção de fechamento foram anuladas. Pior ainda, o diretor de marketing não acreditou nos resultados e ameaçou me despedir se eu não fosse capaz de chegar a algo mais convincente.

Como você pode imaginar, tentei explicar a todo custo nossas conclusões. Era possível, argumentei, que aquelas pessoas com resultados fracos ficassem mais ansiosas ao terem de fazer o teste. Em conseqüência, eles podem ter enganado e preenchido a escala como pensaram que o gerenciamento gostaria — dando, assim, àqueles com maus resultados, uma atitude falsamente positiva para o fechamento. Contudo, isso parecia não ser convincente, até para mim. Eu começava a ter dúvidas quanto à eficácia do fechamento.

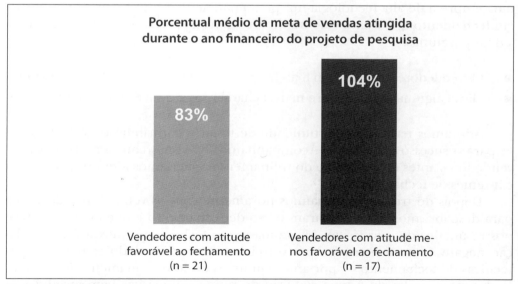

Figura 2.2. Atitude quanto ao fechamento e resultados em vendas.

Enquanto realizamos esse estudo, inúmeras equipes de pesquisa do mundo todo estavam investigando as ligações entre atitude e comportamento. Os resultados, particularmente os de Martin Fishbein[1], indicavam que não se pode usar escalas atitudinais para prever o comportamento com exatidão. Fishbein mostrou, por exemplo, que se alguém obtém uma pontuação alta na escala de atitude de fechamento, isso não significa que nas visitas reais de vendas fará fechamentos com mais freqüência que aqueles que têm uma atitude menos favorável. Nossa pesquisa em outras áreas confirmava que as ligações entre atitude e comportamento eram muito mais fracas do que imaginamos. Em conseqüência, íamos cada vez mais em direção a métodos de observação direta do comportamento de vendas. Estávamos contentes por deixar para trás estudos de atitudes e questionários. O melhor teste para ver como é o real desempenho das pessoas consiste em observá-las em ação. Nosso desenvolvimento de novos métodos de análise comportamental nos permitiria, esperávamos, fazer isso e nos proporcionaria evidências muito mais concretas sobre a eficácia do fechamento.

Entretanto, embora encontrássemos razões mais plausíveis para abandonar nosso estudo da indústria química, eu ainda estava preocupado. Os poucos dados que tínhamos reunido mostravam alguns aspectos muito intrigantes sobre a eficácia do fechamento. Precisávamos de mais estudos.

O Efeito do Treinamento

Uma oportunidade ideal para mais pesquisas sobre fechamento veio quando uma empresa de alta tecnologia nos pediu para avaliar o treinamento intensivo em fechamento que estava elaborando. A empresa queria que respondêssemos a duas perguntas:

- Os vendedores fecham com mais freqüência depois ou antes do treinamento?
- Havia alguma relação entre mais fechamentos e o sucesso em vendas?

Adoramos ter outra oportunidade de testar a contribuição do fechamento para o sucesso em vendas. Acompanhamos 86 visitas com um grupo de 47 vendedores antes da realização do treinamento. Queríamos identificar os níveis existentes de fechamento.

Depois do treinamento, saímos novamente com os vendedores, dessa vez para descobrirmos se aumentaram o uso de fechamento e que efeito este teve nos resultados de suas visitas. Mais uma vez, o fechamento mostrou uma relação negativa com o sucesso. Após o treinamento, os vendedores usaram mais técnicas de fechamento — portanto, em um sentido o treinamento foi eficiente. Entretanto, devido à uma redução do número de visitas bem-sucedidas, o efeito geral do treinamento foi uma redução nas vendas (Figura 2.3).

---

[1] Fishbein, M.; Ajzen I., *Attitudinal Variables and Behavior: Three Empirical Studies and a Theoretical Reanalysis*, Washington University, Seattle, 1970.

Obtenção de Compromisso: Fechar a Venda

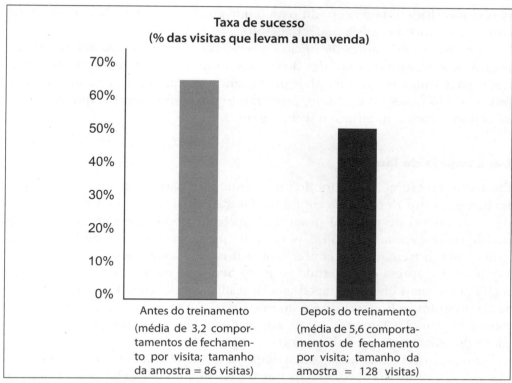

Figura 2.3. Efeito do treinamento no sucesso do fechamento.

Dessa vez, ficamos muito menos surpresos. Encontrar uma associação entre fechamento e vendas não efetuadas estava se tornando um hábito entre nós. Os treinadores com quem estávamos trabalhando, por outro lado, certamente não esperavam resultados como esses. Eles foram pegos de surpresa e deram muitas explicações engenhosas para a queda nos resultados. Fomos forçados a levar a sério cada uma das possibilidades que eles apresentaram. Eles alegaram que, por definição, qualquer nova habilidade parece estranha e desconfortável. Antes do treinamento, os vendedores apresentavam um comportamento natural; depois dele, estavam tentando usar novas técnicas e, inevitavelmente, não agiam com tanta naturalidade com seus clientes. Essa, alegavam os treinadores, poderia ser a causa de uma queda temporária nos resultados de vendas.

Achamos essa possibilidade plausível o suficiente para admitir que ainda não tínhamos evidência conclusiva na eficácia do fechamento. Pelo menos podíamos testar a idéia de que a queda nas vendas resultava de uma artificialidade temporária. E se saíssemos com os vendedores novamente, depois de seis meses? As novas habilidades de fechamento teriam então se tornado parte de seu estilo natural de vendas. Poderíamos testar se eles ainda estavam usando as técnicas de fechamento e, nesse caso, qual seria o impacto disso no sucesso de suas visitas. Tudo estava acertado para o que eu esperava ser o primeiro estudo conclusivo sobre a eficácia do fechamento.

Então, um mês antes do início da pesquisa, a empresa anunciou uma reorganização maciça de sua força de vendas. Com todas as mudanças, não havia razão para irmos em frente. Mais uma grande pesquisa foi pelos ares e, mais uma vez, nos vimos no mercado, procurando uma nova empresa que nos abrisse as portas para estudarmos o fechamento.

Um Lampejo de Luz

Enquanto eu estava à procura de um cliente para patrocinar novos estudos de fechamento nos deparamos com a declaração de uma das grandes empresas de treinamento de que seu programa em fechamento aumentava os resultados de vendas em mais de 30%. No estudo que acabamos de completar, descobrimos que o treinamento em fechamento causou uma queda nos resultados. Como essa empresa estava tendo sucesso? Será que estaria usando técnicas de fechamento mais eficazes que aquelas investigadas por nós? Consegui ter acesso ao programa e fiquei surpreso ao descobrir que ele não continha nada novo nem diferente. De fato, usava uma abordagem consideravelmente menos complexa do que aquela avaliada por nós.

Logo, entrei em contato com a empresa e a desafiei a mostrar-me as evidências que apoiavam sua afirmação de que o treinamento em fechamento traria um aumento percentual nas vendas. Como aconteceu, a "pesquisa" da empresa consistia de cartas de clientes satisfeitos, um deles dizendo que após o treinamento houve um aumento de 30% nos resultados. Não havia dados concretos. Contudo, havia uma pista importante. Os clientes satisfeitos eram organizações cujo valor médio da venda era muito pequeno. A empresa que alegou 30%, por exemplo, vendia assinaturas de revista de porta em porta. Isso fez "cair a minha ficha". Seria possível que as técnicas de fechamento funcionassem quando a venda fosse pequena, mas falhassem quando o tamanho das vendas aumentasse?

Quanto mais eu pensava nessa idéia, mais ela me agradava. Havia razões teóricas muito convincentes para eu acreditar que isso poderia ser verdade. O fechamento é um método de colocar pressão no cliente. E os psicólogos já entendem muito sobre o impacto da pressão na tomada de decisão. Em termos simples, o efeito psicológico da pressão parece ser este. Se estou pedindo a alguém para tomar uma decisão pequena, então — se eu pressiono — é mais fácil essa pessoa dizer sim do que entrar em discussão. Em conseqüência, com uma pequena decisão, o efeito da pressão é positivo. Entretanto, o mesmo não acontece nas grandes decisões. Quanto maior a decisão, mais as pessoas reagem negativamente à pressão.

Faço isso parecer uma grande descoberta, mas é claro que não é. Desde os primórdios da História, aqueles que esperam ser sedutores sabem que o efeito da pressão está negativamente relacionado ao tamanho da decisão. O jovem animado que usa um Fechamento ou/ou como "Você prefere que nos sentemos aqui ou lá?" geralmente tem bons resultados porque ele está pedindo uma decisão pequena. Entretanto, o clássico Fechamento ou/ou de "No meu apartamento ou no seu?" tem uma taxa de sucesso muito mais baixa porque a decisão requerida é muito maior.

Se minha teoria estiver correta, então quanto maior a decisão, menor a probabilidade de eficácia das técnicas de fechamento. Como poderíamos testar isso? Haveria uma forma de montar um experimento para testar a eficácia do fechamento à medida que o tamanho das decisões aumentasse? Eu não queria montar experimentos artificiais de laboratório, no entanto não sabia como validar a idéia de outro modo. Então, um dia nos vimos diante da oportunidade perfeita.

O Estudo da Loja de Revelação Fotográfica

Uma importante cadeia de lojas de revelação fotográfica acabara de decidir treinar seus vendedores em técnicas de fechamento. Essa tinha sido uma decisão controvertida para a cadeia, nem todo o seu gerenciamento sênior gostou da idéia. Um dos gerentes tinha participado do seminário em que eu falara com ceticismo sobre fechamento. Ele era do grupo contrário a treinamentos — e entrou em contato conosco em segredo para verificarmos se o novo treinamento seria eficaz.

Nunca é ideal quando os clientes nos pedem para fazermos uma pesquisa para provar que seus paradigmas estão corretos. Normalmente, esse é o tipo de atribuição que evitamos. No entanto, sendo esse o único "senão"; essa oportunidade de pesquisa era tão perfeita que não pude recusar. O elemento realmente atraente era a política da loja de fazer rodízio de seus vendedores. Um dia um vendedor trabalhava no balcão onde eram vendidos artigos baratos, como filmes, fitas e acessórios. No dia seguinte, a mesma pessoa passava para um dos balcões onde artigos mais caros eram vendidos, como câmeras com preços altos, equipamento de áudio e vídeo. Tínhamos a maneira perfeita de controlar o impacto do tamanho da decisão no sucesso de fechamentos. Após o treinamento dos funcionários promovido pela loja, pudemos observar o impacto do treinamento de um dia quando eles estavam vendendo artigos baratos e então, com os mesmos funcionários e o mesmo treinamento, observá-los no dia seguinte, quando estavam vendendo artigos mais caros. Era uma situação ideal.

Fechamento e Tamanho da Decisão

Usando os métodos tirados de nossos estudos anteriores, observamos os vendedores trabalharem antes do treinamento. Medimos três aspectos:

1. *Tempo de transação.* Quanto tempo cada venda ou tentativa de venda durava?
2. *Número de fechamentos.* Quantas vezes o vendedor usou um comportamento de fechamento durante a transação?
3. *Porcentagem de vendas.* Qual a porcentagem das transações resultantes em uma compra?

Primeiro, vamos examinar os resultados coletados quando as pessoas estavam vendendo itens de baixo valor (Figura 2.4). Antes do treinamento em fechamento, o tempo médio de transação era pouco acima de dois minutos, o vendedor usava uma média de 1,3 fechamentos e 72% das transações resultavam em vendas. Qual era o efeito do treinamento em fechamento? Como se pode ver, após o treinamento o tempo de transação diminuiu, o número de fechamentos aumentou e a taxa de sucesso também. Como um dono de loja ocupado, eu ficaria encantado com um resultado como esse. Um tempo de transação mais curto significa que eu posso atender mais clientes ou usar menos pessoal. Além disso, embora o aumento em vendas de 72% para 76% não seja suficientemente grande para ser estatisticamente significativo, ele está na direção certa. Não só a venda é mais rápida, como também parece ter mais sucesso.

Nós também ficamos impressionados com esses resultados, porque foi a primeira vez em nossa pesquisa que descobrimos algo positivo nas técnicas de fechamento. Todavia, o verdadeiro teste ainda estava por vir. O treinamento em fechamento seria igualmente bem-sucedido com bens de valor mais alto?

	Tempo médio de transação	Número de fechamentos por transação	% de transações resultantes em uma venda
Antes do treinamento em fechamento (83 transações observadas)	2 min 11 s	1,3	72%
Depois do treinamento em fechamento (95 transações observadas)	1 min 47 s	1,9	76%

Figura 2.4. Fechamento e preço: artigos de baixo valor.

Observamos os mesmos vendedores depois do mesmo treinamento. A única diferença era que agora eles estavam vendendo itens mais caros. Descobrimos que o tempo de transação depois do treinamento era mais curto e que o

Obtenção de Compromisso: Fechar a Venda

número de comportamentos de fechamento aumentou previsivelmente (Figura 2.5). O que dizer da taxa de sucesso? Antes do treinamento, 42% das interações que observamos resultaram em um pedido. Isso era muito mais baixo que a taxa de sucesso com artigos mais baratos, mas não chegava a ser surpreendente. As pessoas em geral não entram em uma loja para examinar um filme e dizer: "Vou dar uma volta e pensar", embora isso aconteça freqüentemente com compras mais caras. Entretanto, os dados que nos interessavam eram a taxa de sucesso depois do treinamento. Descobrimos que o programa de treinamento em fechamento, que aumentou o sucesso com itens baratos, tinha reduzido o sucesso com bens mais caros, de 42% para 33%.

	Tempo médio de transação	Número de fechamentos por transação	% de transações resultantes em uma venda
Antes do treinamento em fechamento (91 transações observadas)	12 min 35 s	2,7	42%
Depois do treinamento em fechamento (91 transações observadas)	8 min 40 s	4,5	33%

Figura 2.5. Fechamento e preço: artigos de alto valor.

Duas Conclusões

Como deveríamos interpretar esses resultados? A primeira descoberta é que, com bens de alto e baixo valor, o tempo médio de transação é reduzido à medida que o número de fechamentos aumenta. Logo, podemos chegar à conclusão:

Ao forçarem o cliente a tomar uma decisão, as técnicas de fechamento aceleram a transação de vendas.

Essa seria uma descoberta importante — e uma grande vantagem para o uso de técnicas de fechamento — se seu negócio fosse uma operação de varejo de baixo valor ou estivesse envolvido na venda de porta em porta de produtos de baixo valor. Se há uma fila de clientes esperando sua atenção, ou uma rua infinitamente longa com portas de ambos os lados esperando que alguém bata à porta, então quanto mais curta a venda, mais clientes será possível atender.

Em geral, esse não é o problema em vendas maiores. Normalmente seria desejável *mais* tempo com cada cliente, e não menos. Na maioria das forças de vendas de contas-grandes, a reclamação mais comum é que não se consegue tempo suficiente com as pessoas importantes. Acho que nunca ouvi alguém em vendas maiores dizer: "Como posso reduzir o tempo que estou gastando com as pessoas-chave?". Entretanto, muitas empresas chamaram a Huthwaite para aconselhá-las quanto a maneiras de *aumentar o tempo* da visita com os clientes. Tenho um argumento simples: em vendas pequenas geralmente é desejável manter o tempo de transação curto; em vendas maiores — por diversas razões — um tempo de transação mais curto tem menos vantagens e mais desvantagens.

A segunda conclusão que podemos tirar de nosso estudo é sobre a relação do fechamento com o preço:

As técnicas de fechamento podem aumentar as chances de realizar uma venda com produtos de baixo preço. Com produtos ou serviços caros, elas reduzem as chances de realizar uma venda.

Como vimos, essa conclusão não resulta apenas de nossa pesquisa, mas também da regra psicológica geral de que a pressão tem mais probabilidade de ser eficaz com pequenas decisões que com grandes. O preço médio de bens de alto valor em nosso estudo era de apenas $ 109. Isso são migalhas, comparadas ao escopo da decisão na maioria das organizações de vendas com as quais trabalho ou para a maioria dos leitores deste livro. Se as técnicas de fechamento se tornam ineficazes em uma venda de $ 109, então é provável que elas sejam ainda mais ineficazes à medida que o escopo da decisão sobe para dezenas ou centenas de milhares. Alguém pode alegar, evidentemente, que gastar $ 109 de seu dinheiro pode parecer uma decisão tão grande quanto gastar $ 10 mil do orçamento de uma empresa. E talvez tenha razão — ninguém entende realmente a psicologia complexa relacionada ao escopo percebido da decisão. Entretanto, a regra permanece. As técnicas de fechamento, como todas as formas de pressão, e tornam-se menos eficazes quando o tamanho da decisão aumenta.

Fechamento e Exigência do Cliente

Ficou claro em nossos estudos que o fechamento é menos eficaz quando o escopo da decisão aumenta. Todavia, isso se deve a fatores de preço? Eu queria saber se haveria outras razões. No geral, grandes decisões de compra são tomadas por clientes mais graduados — como agentes de compra profissionais ou executivos seniores. Essas pessoas vêem dezenas de vendedores por semana e podem ter passado por treinamento de vendas. Uma técnica de fechamento poderia funcionar com um comprador menos experiente e ser ineficaz ou mesmo ter um efeito negativo com clientes mais experientes?

Minha primeira indicação de que isso poderia ser verdade surgiu quando eu estava trabalhando com os departamentos centrais de compras da British Petroleum. Observei os compradores em atividade, fazendo pesquisa do outro lado da mesa. Um dos compradores seniores da BP era extremamente avesso ao uso de técnicas de fechamento. "Não é ao fechamento em si que eu faço objeção", ele me disse, "é ao pressuposto arrogante de que eu sou tolo o suficiente para ser manipulado e levado a comprar através de manobras. Sempre que uma técnica-padrão de fechamento é utilizada comigo, ela reduz o respeito entre nós — destrói o relacionamento profissional. Contudo, tenho minha forma pessoal de lidar com ele, como você verá".

No dia seguinte eu estava observando a tentativa de uma venda e vi o método do comprador em ação. O representante vendia máquinas automáticas e fornecia copos de plástico. Em determinado momento da visita, ele usou um Fechamento da Suposição, dizendo: "Sr. P., o senhor concordou que nossos copos são mais baratos que os de seu atual fornecedor; então vamos fazer nossa primeira entrega de, digamos, 20 mil copos no próximo mês?". O comprador não disse nada. Abriu uma gaveta na mesa e tirou devagar uma caixa de fichas de arquivo. Procurou e selecionou uma ficha em que estava escrito FECHAMENTO DA SUPOSIÇÃO, colocando-a em cima da mesa. "Esta é sua primeira chance", ele disse. "Dou duas às pessoas. Se você usar mais uma técnica de fechamento comigo, não haverá venda. Para que você saiba ao que eu estou atento, veja estas fichas." E colocou as fichas na mesa para o vendedor. Em cada ficha, uma técnica conhecida de fechamento estava digitada. O vendedor ficou pálido — mas não tentou fazer novo fechamento.

Esse comprador seria uma exceção? Um monstro com um ódio perverso de fechamentos? Não creio nisso. A maioria dos compradores profissionais tem uma visão desfavorável de técnicas de fechamento. Certa vez treinei compradores profissionais de três grandes organizações em um programa que desenvolvia habilidades de negociação. Circulei um questionário entre 54 desses compradores que incluía a pergunta:

Se você percebe que um vendedor está usando técnicas de fechamento enquanto vende para você, que efeito, se houver, elas têm em sua probabilidade de comprar?

As respostas deles foram:

Maior probabilidade de comprar   2
Indiferente   18
Menor probabilidade de comprar 34

Ninguém mais do que eu sabe que esse tipo de questionário não é um retrato muito confiável do comportamento real. Apesar de todas as limitações desse tipo de evidência, as técnicas de fechamento certamente não parecem ser as favoritas entre compradores profissionais. Tenho visto inúmeros livros e programas de treinamento afirmar que os compradores experientes reagem positivamente ao uso de técnicas de fechamento porque esse é um sinal de que estão lidando com um profissional. Isso não tem sentido e é perigoso. Não há nenhuma evidência que apóie esse tipo de afirmação. As poucas pesquisas existentes sugerem que os compradores mais informados reagem negativamente ao uso de técnicas de fechamento.

Fechamento e Satisfação Pós-Venda

No Capítulo 1, destaquei que uma das diferenças características entre vendas simples e grandes é que as vendas maiores geralmente envolvem uma forma de relacionamento contínuo com o cliente. A tarefa não termina com o pedido. Por isso, questionar que efeito o fechamento tem no relacionamento pós-venda é uma pergunta importante. Infelizmente, nunca tivemos oportunidade de estudar isso em vendas maiores. Entretanto, ajudamos uma organização de varejo a executar um estudo de bens de consumo que provou ter algumas implicações perturbadoras para vendas de *qualquer* tamanho.

O gerente de treinamento de uma cadeia de varejo tinha participado de um seminário oferecido pela Huthwaite sobre mensuração de comportamento, e queria tentar fazer pesquisa. Ele me pediu ajuda na escolha de um projeto adequado. "Que tal um estudo sobre fechamento?", eu sugeri. Alguns vendedores na organização dele tinham recebido treinamento em técnicas de fechamento, por isso ele decidiu investigar se a satisfação do cliente após a compra estaria relacionada ao treinamento do vendedor em fechamento.

Entre três e cinco dias após a compra, ele e sua equipe fizeram um follow-up de 145 clientes e lhes pediram para classificar, em uma escala de dez pontos:

- A satisfação deles com os bens que haviam comprado
- A probabilidade, se eles tivessem de fazer compras similares no futuro, de que comprariam da mesma loja

Conforme apresentado na Figura 2.6, os vendedores que tinham sido treinados em fechamento obtiveram classificações mais baixas em ambas as perguntas. O que isso significa? A interpretação mais provável é que, ao usar técnicas de fechamento, os vendedores pressionam os clientes a tomar uma decisão. A maioria das pessoas fica menos satisfeita com decisões que consideram terem sido pressionadas a tomar do que com aquelas que acreditam terem tomado

Obtenção de Compromisso: Fechar a Venda

totalmente por livre vontade. Isso sugere que há ainda mais razão para se ter cautela com o uso de técnicas de fechamento em vendas maiores, quando a satisfação pós-venda do cliente pode ser um fator importante no futuro sucesso em vendas.

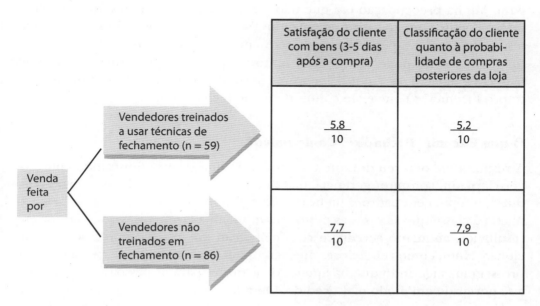

Figura 2.6. Fechamento e satisfação do cliente.

Eu poderia, evidentemente, criticar alguns elementos desse estudo. Por exemplo, ele não tem nenhum dado comportamental coletado durante as vendas reais. E há outra fraqueza possível — a loja havia treinado mais os funcionários mais novos que seus vendedores mais experientes. Logo, talvez esse estudo esteja dizendo que os clientes estão menos satisfeitos com compras de vendedores mais novos. Apesar de qualquer crítica à sua metodologia, esse estudo é um dos poucos que já tentou coletar dados sobre a relação entre treinamento em vendas e satisfação pós-vendas. Até estudos mais detalhados surgirem, aconselho atenção a essa advertência.

Por que o Resto do Exército Está em Descompasso?

Durante muitos anos, depois de ter coletado todos esses dados sobre a eficácia do fechamento, relutava partilhar isso com as pessoas. Como mostrei no início do capítulo, o fechamento não só era visto pela maioria dos autores como a parte mais importante da venda, mas também era seguido religiosamente pela maioria dos vendedores. Nas poucas ocasiões em que mencionei essas descobertas em público, a receptividade não foi boa. Fui tirado do palco por treinadores de vendas irritados em Los Angeles, que não gostaram da pesquisa que apresentei neste livro. A história está repleta de casos sobre pesquisadores cujas idéias não são reconhecidas no início, mas não era a rejeição que me preocupava. Minha preocupação era que não parecia possível que eu estivesse com a razão e muitos outros estivessem errados. Vendedores experientes, seus gerentes, treinadores e especialistas que escrevem livros sobre como vender não são tolos. Como eles poderiam dedicar tanto tempo e energia a um conjunto de técnicas que além de não funcionarem em vendas maiores, são ativamente contraproducentes? O que é tão contundente no fechamento?

O que Faz um "Fechador" Compulsivo?

A resposta me ocorreu durante um seminário que estava ministrando com Roger Harrison, consultor gerencial da Califórnia. Em uma sessão que Roger conduzia, o tópico era padrões ineficazes de comportamento e suas causas, ele explicou à classe que às vezes as pessoas continuam a fazer coisas que não trazem resultados, enquanto acreditam com convicção que o que estão fazendo funciona. "Hum, como vendedores que acreditam em fechamento", pensei. Roger prosseguiu, sugerindo que há apenas duas razões para as pessoas continuarem a se portar de um modo malsucedido. Ou estão loucas ou *há alguma coisa em seu ambiente que está recompensando e encorajando o uso do comportamento ineficiente*.

Quanto mais eu pensava, mais isso me dava a explicação que estava procurando. Lembrei-me da época em que eu também tinha sido grande entusiasta do fechamento. Como fiquei "viciado" em me tornar um "fechador" inveterado? Tudo remonta à época em que eu, muito nervoso, tentei meu primeiro Fechamento ou/ou: "Prefere que o projeto comece em setembro ou em novembro?" Ao responder "Vamos começar em setembro", meu cliente *recompensou* o uso de um fechamento, dando-me o negócio. Eu disse as palavras mágicas — e recebi o pedido.

Quando parei para pensar sobre isso, os comportamentos de fechamento eram os únicos, de 116 estudados em nossa pesquisa, a serem diretamente recompensados ou reforçados por pedidos. Como tantos outros vendedores, como meu fechamento foi recompensado com um pedido, de alguma forma eu assumi que usar o fechamento *tinha levado* ao pedido. Pelo que sei agora, foi a maneira como desenvolvi as necessidades de meu cliente que me trouxe o negócio. Não tinha nada a ver com meu fechamento. O projeto teria ido adiante com ou sem minha nova técnica de fechamento.

Finalmente entendi por que o fechamento recebia tanta atenção em vendas. De todos os comportamentos de vendas, era o que ganhava a recompensa mais imediata. Faça uma boa pergunta ao cliente que o leve a expor suas necessidades e você não terá a recompensa instantânea com um pedido. Entretanto, se usar uma frase atraente de fechamento mágico no momento da decisão — algumas vezes — você terá um "Sim, vou comprar", recompensador. (Por sinal, qualquer leitor que entenda da teoria do reforço reconhecerá também que recompensas dadas "algumas vezes" funcionam mais que recompensas recebidas "todas as vezes", para fazer um comportamento continuar.)

Como resultado desse *insight*, fico mais à vontade com nossa pesquisa e suas implicações. Era mesmo possível que nossa pesquisa estivesse certa e a maior parte do resto do mundo estivesse em descompasso. Desde nossos estudos, evidentemente, muitas outras pessoas chegaram à mesma conclusão de que as técnicas de fechamento são ineficazes ou até prejudiciais em vendas maiores. Tenho sido visto por muitas pessoas como um inimigo declarado de todas as técnicas de fechamento. Se J. Douglas Edwards é o pai do fechamento, às vezes sou descrito como seu assassino. Isso não é justo, porém. Em vendas de baixo valor, com clientes pouco exigentes e quando não há necessidade de desenvolver um relacionamento contínuo com o cliente, as técnicas de fechamento podem funcionar muito bem — e não tenho críticas ao uso delas. Suponho que, como leitor deste livro, seu negócio venha de uma venda maior, sua negociação seja feita com compradores experientes e que você desenvolva um relacionamento com seus clientes. Nesse caso, então as técnicas de fechamento o tornarão *menos* eficiente e reduzirão suas chances de obter o negócio.

Contudo, É *Preciso* Fechar

Pode parecer que eu estou dizendo para não tentar fechar a venda — que, sendo as técnicas de fechamento ineficazes, é preciso esperar de algum modo até que a venda se conclua naturalmente — mas isso também não funciona. Muitos gerentes de vendas resmungam ao ouvir seu pessoal menos experiente chegar ao estágio da visita de Obtenção do Compromisso sem conseguir fechar a venda. Eles ouvem algo como:

> VENDEDOR NOVO: Então, há alguma coisa mais que eu possa lhe dizer sobre este produto?
> CLIENTE: Não, obrigado. Acho que você respondeu a todas as minhas perguntas.
> VENDEDOR NOVO: Bom, bom. Tem certeza de que não há nada mais que eu possa não ter mencionado?
> CLIENTE: Não que eu me lembre.
> VENDEDOR NOVO: Ok. (*pausa terrível*) ah, talvez eu não tenha mencionado que ele tem duas voltagens.

CLIENTE: Sim. Bem, estou atrasado para outra reunião e...
VENDEDOR NOVO: (*Com certo desespero*) Também tem um manual de instruções em espanhol... se o senhor precisar.
CLIENTE: Veja, sr. Newman, tenho de ir.
VENDEDOR NOVO: Ah. Tem certeza de que respondi a todas as suas dúvidas?

O que há de errado aqui? Um vendedor inexperiente teme terminar a visita e, como resultado, o cliente começa a ficar impaciente.

Certamente, isso acontece na vida real — e nota-se com freqüência na venda de serviços profissionais. Trabalhamos com o First National Bank of Chicago, usando os modelos da Huthwaite para treinar representantes. David Zehren, do First of Chicago, embora concorde conosco que as técnicas de fechamento de vendas geralmente são utilizadas em demasia em grandes vendas industriais, destaca que nos serviços bancários há, com freqüência, o problema oposto. "Não tivemos problema com o uso excessivo de técnicas de fechamento", explica ele. "Se é necessário fazer alguma coisa, achamos que é tomar a direção contrária. Os clientes esperam isso. Eles se irritam com visitas que não têm um entendimento claro do que vem em seguida."

David Zehren não é o único a expressar essa preocupação. Trabalhamos com diversas das oito grandes empresas de auditoria do mundo, e suas equipes de treinamento partilham a mesma percepção. Se o uso excessivo de fechamento é um problema em muitas vendas de bens capitais e industriais, por outro lado, sua ausência total pode ser um problema igualmente sério em alguns setores de serviços. Embora a maioria de nossos clientes aceite totalmente que a parte mais crucial da visita de vendas seja o desenvolvimento das necessidades, aqueles na área de serviços profissionais querem, justificadamente, que seus funcionários assumam um papel mais ativo na obtenção do compromisso dos clientes.

O treinamento em vendas, com o passar dos anos, tem enfatizado em demasia o fechamento. Seria igualmente inadequado, porém, se deixássemos o pêndulo ir totalmente na outra direção, a ponto de começarmos a ensinar as pessoas a nunca fecharem uma venda.

Há dados concretos que apóiam a conclusão de que uma ausência de fechamento pode ser um perigo real. Conduzimos pesquisas com Bob Boyles da American Airlines para descobrir se a ausência total de fechamento seria até menos eficaz do que tentar fechar com demasiada freqüência. Boyles e sua equipe experimentaram algumas de nossas técnicas de análise de comportamento na American Airlines para monitorar as habilidades de seus agentes de vendas.

O índice de sucesso em visitas sem fechamento foi de apenas 22%, comparado com um índice de sucesso de 61% em visitas com um único fechamento (Figura 2.7). É preciso observar, no entanto, que as visitas menos bem-sucedi-

Obtenção de Compromisso: Fechar a Venda

das foram aquelas com mais de dois comportamentos de fechamento, nas quais o índice de sucesso ficou abaixo de 20%. Logo, parece que, apesar de todas as desvantagens das técnicas de fechamento, é improvável que as visitas sem fechamento sejam satisfatórias.

Para Onde Vamos?

A investigação da American Airlines envolveu vendas relativamente pequenas. Embora eu não tenha certeza de que chegaríamos aos mesmos resultados em um estudo comparável de vendas grandes, essa pesquisa levanta uma questão importante. O vendedor deve obter um tipo de compromisso do cliente para a visita ser um sucesso. Como se obtém o compromisso do cliente sem arriscar as desvantagens provenientes do uso de técnicas de fechamento?

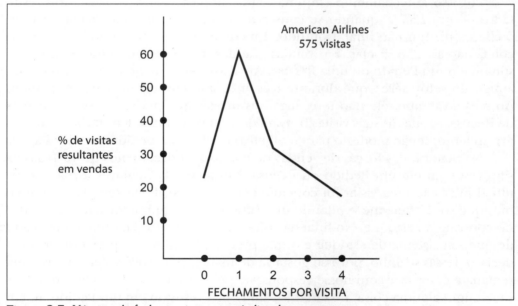

Figura 2.7. Número de fechamentos *versus* índice de sucesso.

Tudo o que escrevi até aqui neste capítulo é sobre como *não* obter o compromisso. Disse que as tradicionais técnicas de fechamento são ineficazes ou têm um efeito negativo quando:

- A venda é grande e envolve bens de alto valor.
- O cliente é exigente: por exemplo, um comprador profissional.
- Há um relacionamento continuado pós-vendas com o cliente.

Tudo o que disse sugere que as técnicas de fechamento não são a melhor maneira de obter compromisso do cliente em uma venda grande. Então, o que *deveria* ser feito? Como vimos, não fazer nada também não é eficaz. A venda não se fecha por si mesma.

Obtendo o Compromisso *Certo*

O primeiro passo no fechamento bem-sucedido é estabelecer os objetivos certos. O ponto inicial para obter um compromisso é saber que nível de compromisso do cliente será necessário para que a visita se torne um sucesso. Se este livro fosse sobre vendas mais simples, então não haveria muita necessidade de explicar o que significa *sucesso* ou para se preocupar com sua definição detalhada. Em uma venda simples, um compromisso assumido é um pedido — e se o pedido não for tirado, ela fracassou.

Por isso, o fechamento em uma venda simples pode ter um de dois resultados — um *Pedido*, quando se consegue o negócio, ou uma *Recusa*, quando o cliente diz um não final. Contudo, à medida que a venda se torna maior, as coisas não são tão diretas. Em vendas grandes, relativamente poucas visitas resultam em um Pedido ou uma Recusa. Anteriormente mencionei o caso de um amigo do setor aéreo que durante três anos não conseguiu nenhum pedido. Ao mesmo tempo, ele não teve negativas diretas que pudessem ser chamadas de Recusas. Todas as suas visitas ficavam entre uma e outra. Elas faziam um progresso lento, senão modesto para o objetivo final — um pedido em vários anos.

Na maioria das forças de vendas de contas grandes, menos de 10% das visitas resultam em um Pedido ou Recusa. Nessas vendas maiores torna-se mais difícil julgar se uma visita foi concluída com sucesso. Por exemplo, suponhamos que você esteja me vendendo um software de computador para me ajudar no controle do estoque. No final da visita, eu lhe digo: "Veja, estou convencido de que seu sistema de estoque é o que precisamos. Mas não posso tomar uma decisão dessas sozinho, por isso gostaria de marcar para você voltar na próxima semana e conversar com nosso responsável pela produção". Está claro que a visita atingiu alguma coisa, no entanto, ainda não resultou em um Pedido ou em uma Recusa. Situa-se em algum ponto entre os dois. No entanto, uma vez que se tenha marcado outro encontro, talvez possamos dizer que a visita foi concluída com sucesso.

Contudo, podemos dizer isso de toda visita que resulta em um acordo de novo encontro? Suponhamos que, depois de você ter explicado os benefícios do seu sistema de estoque, eu diga: "Não tenho certeza. Talvez possamos conversar sobre isso em outro encontro". É bem possível que eu esteja concordando com um futuro encontro para me livrar de você. Quando você liga no próximo mês não conseguirá falar comigo e o encontro nunca acontecerá.

Obtenção de Compromisso: Fechar a Venda   **57**

Obter um acordo de um futuro encontro não é uma maneira adequada de medir o sucesso do fechamento.

Definindo o Sucesso do Fechamento em Vendas Grandes

Então, qual é o teste do sucesso do fechamento? Qual é o resultado, ou o produto disso, que nos permite dizer que uma visita foi bem-sucedida enquanto outra fracassou? Em nossa pesquisa inicial na Huthwaite, escolhemos o caminho mais fácil. Dissemos que uma visita seria bem-sucedida se atingisse seus objetivos. Logo descobri, porém, que a capacidade humana surpreendente de racionalizar acontecimentos indesejáveis tornaria essa definição inviável.

Viajei com um representante de vendas na cidade de Nova York. Fizemos uma visita desastrosa a um cliente que ficou tão irritado com o representante que fomos convidados a nos retirar. Mais tarde, enquanto paramos na calçada para nos recuperar da experiência, eu preenchia detalhes sobre a visita em meu formulário de pesquisa. Em resposta à pergunta "A visita atingiu seus objetivos?" Escrevi: "Não". Isso aborreceu terrivelmente o representante de vendas.

"Mas eu atingi meus objetivos", ele protestou. "Decidi, no meio da visita, que não queríamos fazer negócio com esse sujeito porque parecia haver um risco de não ter crédito. Então, em vez de insultá-lo dizendo-lhe diretamente, eu arquitetei coisas de modo que ele pedisse para nos retirarmos. Dessa forma, consegui terminar a visita sem o constrangimento de explicar que eu não poderia fazer negócio com ele porque ele não tinha crédito."

Muitas vezes, no início de nossa pesquisa, vimos vendedores reagirem dessa forma, dizendo-nos que o que acontecera na visita tinha sido exatamente o que eles planejaram. Os objetivos da visita podem ser racionalizados com muita facilidade depois dela, para explicar o que aconteceu. Obviamente, precisávamos de um critério melhor para avaliar o sucesso no fechamento que a simples pergunta: "A visita atingiu seus objetivos?".

Nossa tentativa seguinte foi um pouco melhor. Pedíamos ao vendedor para nos dar os objetivos antecipadamente. Então avaliávamos se a visita tinha conseguido atingir os objetivos que nos foram apresentados. Desse modo, conseguíamos impedir que os vendedores racionalizassem suas visitas fracassadas. No entanto, não era um sistema perfeito. Lembro-me de uma pessoa me dizer antecipadamente que o objetivo de sua visita era a "exploração detalhada da estrutura organizacional do cliente". No início da visita, o cliente revelou inesperadamente que, como resultado de uma avaliação executada por sua empresa, ele decidiu fechar um pedido grande com a vendedora. Ela e eu fomos embora, uma hora depois, com toda a documentação completa de negócios no valor de 35 mil dólares, mas ela não descobriu nada sobre a estrutura da organização. No entanto, era difícil dizer que a visita foi concluída de maneira ineficaz só porque esse objetivo inicial não tinha sido atingido.

Ainda precisávamos de uma maneira melhor de medir o sucesso no fechamento.

O método que escolhemos finalmente implicava dividir os possíveis resultados da visita em quatro áreas (Figura 2.8):

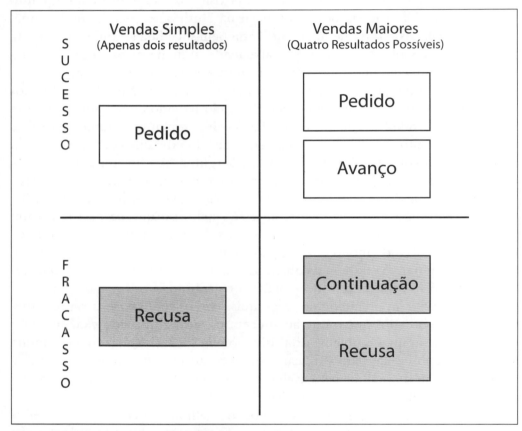

Figura 2.8. Resultados da visita e sucesso em vendas.

■ Pedidos

Quando o cliente assume um compromisso firme de comprar. "Há 99,9% de probabilidade de comprar" não seria um pedido, como gerações de gerentes de vendas enfatizaram, com desânimo, aos seus funcionários novos e inexperientes. Para ser um pedido, o cliente deve mostrar uma intenção inequívoca de compra, geralmente assinando algum tipo de documento. É desnecessário dizer que as visitas que resultam em pedidos são menos comuns em vendas maiores do que

Obtenção de Compromisso: Fechar a Venda

muitos vendedores gostariam. Então, há relativamente poucas ocasiões quando se fecha um pedido.

■ Avanços

Quando algo acontece, seja na visita ou depois dela, que leva a venda a uma decisão. Avanços típicos podem incluir:

- A concordância de um cliente em ir a uma demonstração em outro local.
- Uma liberação que levará a um executivo encarregado de tomar decisões de nível superior.
- A concordância de fazer um teste ou de experimentar o produto.
- O acesso a partes da conta que antes eram inacessíveis.

Todos esses fatores representam um acordo com o cliente que impulsiona a venda para a decisão final. Avanços assumem diversas formas, mas invariavelmente envolvem uma *ação* que leva a venda adiante. Em vendas maiores o objetivo mais comum no fechamento normalmente seria obter um Avanço. O fechamento bem-sucedido na venda maior começa ao se saber que Avanço realisticamente é possível obter da visita.

■ Continuações

A venda continuará, mas nenhuma ação específica foi acordada pelo cliente para se ir em frente. Essas visitas não resultam em uma ação acordada, no entanto, também não envolvem um "Não" do cliente. Exemplos típicos seriam as visitas que acabam com o cliente dizendo:

- "Obrigado por ter vindo. Por que não nos visita novamente da próxima vez que estiver na área?"
- "Apresentação fantástica, estamos muito impressionados. Voltaremos a nos encontrar um dia desses."
- "Gostamos do que vimos e entraremos em contato se precisarmos levar as coisas adiante."

Em nenhum desses casos o comprador concordou com uma ação específica, por isso não há nenhum sinal concreto de que a venda progrediu. Em nossos estudos, classificamos as visitas que fecharam com Continuações como sem sucesso. Isso pode parecer injusto. Afinal, parece duro dizer que uma visita foi fechada sem sucesso se o cliente diz coisas positivas, como: "Ficamos impressionados" ou "Foi uma excelente apresentação". Entretanto, tendo trabalhado de perto com compradores durante anos, não posso mais aceitar comentários positivos e cumprimentos como sinais confiáveis de sucesso na visita. Com muita freqüência vi clientes fazerem esse estardalhaço positivo no final de uma visita como uma maneira educada de se livrar de um vendedor indesejado. Em nossos estudos, queríamos que o sucesso no fechamento fosse medido por ações, e não por comentários simpáticos. É por isso que classificamos os Avanços como bem-sucedidos e as Continuações como malsucedidas. O sucesso de uma visita deve ser julgado pelas ações dos clientes, e não pelo que eles falam.

■ Recusas

Nossa categoria final é *quando o cliente se recusa ativamente a assumir um compromisso*. Em um extremo, o cliente da Recusa deixa claro que não há nenhuma possibilidade de negócio. De uma maneira mais tênue, pode ser uma Recusa se o cliente não concordar em marcar um encontro futuro, digamos, ou negar sua solicitação de ver uma pessoa de nível superior. O teste de uma Recusa é que o cliente nega ativamente seu principal objetivo da visita. Não há muito o que discutir se uma visita que resulta em uma Recusa deveria ser classificada como malsucedida.

Por que estou fazendo tanta polêmica sobre os diferentes resultados de uma visita de vendas? "Certamente", um crítico poderia dizer: "apenas os pesquisadores estão interessados em definir resultados de visita. Não há nada útil aqui para ajudar as pessoas a fechar mais vendas". Ao contrário. Nossos estudos dos principais vendedores foram consistentes ao mostrar que eles tinham um entendimento claro desses diferentes resultados e que usavam esse entendimento para ajudá-los a fechar vendas de modo mais eficiente, transformando as Continuações em Avanços. Além disso, ao entender que tipo de Avanço seria necessário para uma visita se tornar um sucesso, os vendedores de alto desempenho estabelecem objetivos realistas de fechamento que levam a vendas grandes mais adiante.

Vamos ilustrar isso comparando o desempenho de dois vendedores, cada um vendendo equipamento de bombas industriais. Primeiro, vamos examinar John C. Ele é relativamente inexperiente, passou apenas um ano em vendas grandes. Neste extrato de uma entrevista com ele, julgue por si mesmo se ele não sabe bem a diferença entre um Avanço e uma Continuação e se entende como essa diferença se relaciona ao sucesso no fechamento da visita:

> ENTREVISTADOR: Quais eram seus objetivos para esta visita?
> JOHN C.: Ah... causar uma boa impressão ao cliente.
> ENTREVISTADOR: "Boa impressão"?
> JOHN C.: Bem, sim, fazer o cliente sentir-se bem conosco.

Obtenção de Compromisso: Fechar a Venda

ENTREVISTADOR: E algum outro objetivo?
JOHN C.: Ah, dados úteis. Coisas sobre a conta. Informações gerais.
ENTREVISTADOR: E você estava tentando ter uma ação específica do cliente?
JOHN C.: Não. Como disse, tratava-se basicamente de construir um relacionamento e descobrir dados.
ENTREVISTADOR: Em sua opinião, em que medida a visita foi um sucesso?
JOHN C.: Foi bem-sucedida, acho.
ENTREVISTADOR: Por que você diz isso?
JOHN C.: Bem, por exemplo, o cliente disse que estava impressionado com minha apresentação.
ENTREVISTADOR: O cliente concordou com alguma ação como resultado da visita?
JOHN C.: Na... não. Mas acho que ele gostou de minha apresentação.
ENTREVISTADOR: Então o que acontecerá com este cliente?
JOHN C.: Nós nos veremos novamente daqui a alguns meses e então levaremos as coisas adiante.
ENTREVISTADOR: Mas, analisando a visita que você acabou de fazer, o cliente não concordou com uma ação que levasse a venda adiante?
JOHN C.: Não. Mas tenho certeza de que a visita contribuiu para construir um bom relacionamento com a conta. É por isso que eu acho que tive êxito na visita.

A reação de John C é típica de vendedores inexperientes. Ele acha que fechou a visita com sucesso porque recebeu comentários positivos do cliente. Voltando para nossas definições de resultados de visita, porém, a visita dele resultou em uma Continuação. Não houve ação específica acordada com o cliente que faça a visita avançar. Como muitos vendedores novos, os objetivos de visita de John — coletar dados e construir um relacionamento — não contribuem diretamente para obter um Avanço. Depois de viajar com John, o gerente dele me disse: "Você sabe qual é o problema de John? Ele é fraco em fechamento. Eu queria que alguém lhe ensinasse algumas técnicas boas de fechamento". Eu preferiria dizer que o problema de John era que ele não sabia que avanço ele estava buscando da visita. Em conseqüência, ele não tinha nada para fechar. O problema dele era de objetivos de visita, e não havia nada que técnicas de fechamento pudessem fazer para ajudar o sucesso dele até que ele tivesse mais claro para si a diferença entre uma Continuação e um Avanço.

Em contraste, vamos ouvir Fred F., um dos melhores vendedores da empresa, falar sobre sua abordagem em uma visita típica:

ENTREVISTADOR: Quais eram seus objetivos de visita?
FRED F.: Eu queria obter movimento porque sabia que teríamos pressão competitiva e eu não queria deixar a grama crescer sob meus pés.

ENTREVISTADOR: Movimento?

FRED F.: Sim, Veja, eu acho que se vale a pena fazer uma visita, ela tem que *fazer* alguma coisa — pressionar a venda em alguma direção. Caso contrário, você está gastando o seu tempo e o do cliente.

ENTREVISTADOR: Você poderia me dar um exemplo de um objetivo de visita que mostre esse "movimento"?

FRED F.: Certamente. Neste caso o que eu queria era conseguir que o engenheiro-chefe deles viesse à nossa fábrica para uma discussão sobre a viabilidade com nosso pessoal técnico. Agora isso leva a venda um passo adiante — e também significaria que enquanto ele está conversando conosco ele não gasta tempo com a concorrência.

ENTEVISTADOR: E a visita foi bem-sucedida?

FRED F.: Sim e não. Eu não consegui acesso ao engenheiro-chefe deles por causa de algumas questões internas. Então nesse sentido fracassei. Mas durante a visita eu vi uma chance de ir em frente em outra área. O cliente me disse que eles tinham de ir em frente para construir uma fábrica nova em Jersey. Eles estão montando uma equipe de projeto para escrever especificações e escolher os fornecedores. Então eu lhe perguntei se ele ligaria para o engenheiro de hidráulica da equipe e marcaria uma reunião para mim.

ENTREVISTADOR: E ele fez isso?

FRED F.: Sim, faremos uma reunião no dia 23.

ENTREVISTADOR: E isso o levou adiante?

FRED F.: Claro. Isso me coloca na fábrica. No dia 23 tentarei fazer o sujeito da hidráulica nos especificar como um fornecedor tanto para bombas quanto como especialistas em encanamento.

Note-se como os objetivos de Fred F. se relacionavam a obter uma ação, ou Avanço, e que ele considerou o sucesso da visita em termos do movimento produzido. É essa abordagem orientada para a ação que caracterizava pessoas bem-sucedidas que estudamos. Eles queriam Avanços, e não Continuações. Era sua clareza sobre o que constituía um Avanço realista que lhes permitia saber o que eles estavam fechando na visita. Pessoas que visam Avanços e não Continuações com consistência são descritas freqüentemente por seus gerentes como "bons fechadores". De fato, o sucesso delas advém de como elas estabelecem objetivos de visita em vez de como elas fecham. Fred F. era considerado pela direção como um forte "fechador", mas nas várias visitas que fizemos com ele não o vimos usar nenhuma técnica de fechamento.

Os gerentes de vendas costumam me pedir conselhos sobre como deveriam treinar seu pessoal a ter mais sucesso no fechamento de vendas grandes. O conselho mais simples e que mais funciona que posso oferecer é o seguinte: Ensine o seu pessoal a diferença entre Continuações e Avanços, e ajude-os a

Obtenção de Compromisso: Fechar a Venda

não se darem por satisfeitos ao estabelecerem objetivos de visita que resultem apenas em uma Continuação.

Estabelecendo Objetivos de Visita

O segredo para um fechamento poderoso em uma visita a uma conta grande é questionar seus objetivos duramente. Não se contente com objetivos como "coletar informações" ou "construir um bom relacionamento". Evidentemente, esses são objetivos importantes — afinal, toda visita dá oportunidades para coletar informação e aprimorar relacionamentos. O problema é que os objetivos desse tipo não bastam. Eles levam a Continuações e não a Avanços. Podem levá-lo a fechar pelo objetivo errado.

Em seu planejamento de visitas, inclua sempre objetivos que resultem em ação específica do cliente — objetivos como "Fazê-lo vir a uma demonstração", "Conseguir ser atendido pelo chefe dele", ou "Ser apresentado ao Departamento de Planejamento". Dessa forma, você planejará como os melhores vendedores em nosso estudo. Você procurará Avanços, e não Continuações.

Obtenção do Compromisso: Quatro Ações Bem-sucedidas

Embora com objetivos de visita bem estabelecidos, ainda será preciso ganhar o compromisso e a aceitação do cliente. Os estudos da Huthwaite sobre sucesso na venda grande mostram que vendedores eficientes usam maneiras bem simples e diretas de obter o compromisso. Descobrimos que há quatro ações claras que pessoas bem-sucedidas tendem a usar para ajudá-las a obter o compromisso de seus clientes:

1. *Dar atenção a Investigar e Demonstrar Capacidade.* Vendedores bem-sucedidos dão sua atenção básica aos estágios de Investigação e Demonstrar Capacidade. Em particular, dedicam muito mais tempo à etapa de Investigação da visita (Figura 2.9). Vendedores menos bem-sucedidos passam apressadamente para o estágio de Investigar; como resultado, não fazem um trabalho tão eficiente de descobrir, entender e desenvolver as necessidades de seus clientes.

Figura 2.9. Quatro estágios de uma visita de vendas.

O compromisso em uma venda grande não será obtido a menos que o cliente perceba claramente uma necessidade no que lhe é oferecido. As pessoas mais eficientes que observamos foram as que faziam um trabalho excelente de construção das necessidades durante o estágio de Investigação. Como resultado das perguntas que faziam, seus clientes percebiam que tinham uma necessidade urgente de comprar. Não são necessárias técnicas de fechamento com um cliente que quer comprar. Por isso, a primeira estratégia de sucesso para se obter o compromisso do cliente é concentrar a atenção no estágio de Investigar. Quando é possível convencer os compradores que eles precisam do que está sendo oferecido, com freqüência eles fecharão a venda.

2. *Checar se as preocupações-chave foram cobertas.* Em vendas grandes, é provável que tanto o produto quanto as necessidades do cliente sejam relativamente complexos. Como resultado, pode haver áreas de confusão ou dúvida na mente do cliente quando chega a hora de assumir um compromisso. Vendedores com menos êxito vão em frente e fecham, ignorando a possibilidade de seus clientes terem questões não respondidas. Em geral, foi assim que eles aprenderam a vender. A maioria dos programas de treinamento em vendas recomenda que se use o fechamento como uma maneira de fazer aflorar dúvidas ou questões não respondidas, mas não é isso o que os vendedores bem-sucedidos fazem. Descobrimos que os vendedores que não conseguiam o compromisso de seus clientes de modo satisfatório invariavelmente tomavam a iniciativa e perguntavam ao comprador se havia outros pontos ou preocupações que precisavam ser tratados.

Conforme nossas observações, uma dúvida ou preocupação que é dada em resposta a uma técnica de fechamento tende a ser antagônica, como ilustra este breve exemplo:

VENDEDOR: *(usando o Fechamento Presumido)*... então eu combinarei com nossos técnicos para fazer uma demonstração na próxima semana.
COMPRADOR: *(que tem uma preocupação não resolvida).* Espere um minuto, não tenho certeza de que estou pronto para uma demonstração.
VENDEDOR: *(usando um Fechamento ou/ou)* Então seria melhor se, em vez de marcá-la para a próxima semana, eu a marcasse para a outra?
COMPRADOR: *(sentindo-se pressionado)* Não precisa ser tão rápido. Você ainda não explicou como esse leasing funcionaria. O que você está tentando esconder?

Usando técnicas de fechamento, é verdade que o vendedor trouxe a preocupação do cliente à superfície. Todavia, seria necessário fazer isso de maneira antagônica?

Obtenção de Compromisso: Fechar a Venda

Um vendedor mais bem-sucedido teria verificado se todas as principais preocupações foram esclarecidas antes de tentar concluir a visita. Por exemplo:

VENDEDOR: *(confirmando se todas as preocupações foram tratadas)* Bem, acho que isso é tudo, senhorita Brown. Mas antes de prosseguirmos, eu poderia saber se há qualquer área sobre a qual você sinta que eu deveria lhe dar mais esclarecimentos?
COMPRADORA: Sim, você não mencionou as condições de leasing.
VENDEDOR: Então vamos falar sobre isso agora. Funciona assim...

Neste exemplo, a preocupação da cliente foi levantada por iniciativa do vendedor. Em vez de ser um protesto antagônico do comprador, tornou-se uma simples solicitação.

3. *Fazer um Resumo dos Benefícios.* Em uma venda grande a visita pode ter levado muitas horas e abrangido uma ampla gama de tópicos. É improvável que o cliente tenha um quadro claro de tudo o que foi discutido. Vendedores bem-sucedidos juntam tudo, resumindo pontos-chave da discussão antes de passarem ao compromisso. Em vendas menores, o uso de um resumo pode não ser necessário, mas em uma venda maior, quase sempre será uma maneira útil de trazer pontos-chave em foco pouco antes da decisão. Por isso, deve-se fazer um resumo dos pontos-chave — principalmente os Benefícios.

4. *Propondo um compromisso.* Muitos livros sobre vendas destacam que o método mais simples de todos é tentar obter o pedido. Em conseqüência, a frase "tentar o pedido" é comum em treinamento de vendas. De acordo com nossos estudos, porém, "tentar" não é o que os vendedores bem-sucedidos fazem. Em todos os outros estágios, comportamentos que envolvem pedir têm muito mais sucesso que os que envolvem dar — como veremos mais tarde. Mas é aqui, no ponto do compromisso, que os vendedores bem-sucedidos não perguntam — eles dizem. A maneira mais natural, e mais eficiente, de levar uma visita a uma conclusão bem-sucedida é sugerir um próximo passo adequado ao cliente. Por exemplo:

VENDEDOR: *(checando as preocupações-chave)* Há alguma coisa mais que precisamos tratar?
COMPRADOR: Não, acho que já discutimos tudo.
VENDEDOR: *(resumindo os benefícios)* Sim, certamente vimos como o novo sistema vai acelerar seu processamento de pedidos e como será mais simples de usar do que o atual. Também já discutimos de que modo ele

pode ajudá-lo a controlar custos. De fato, parece haver benefícios impressionantes com a mudança, principalmente pelo fato de o novo sistema livrá-lo daqueles problemas de confiabilidade que o preocupavam.

COMPRADOR: Sim, quando você juntar tudo, essa mudança terá muito valor para nós.

VENDEDOR: *(propondo um compromisso)* Então eu poderia sugerir que o próximo passo mais lógico seria você e seu contador virem para observar um desses sistemas em funcionamento.

Como saber que compromisso propor? Em termos simples, há duas características dos compromissos propostos por vendedores bem-sucedidos:

1. O compromisso avança a venda. Como resultado dele, a venda prosseguirá de alguma forma.
2. O compromisso proposto é o compromisso mais realista que o cliente é capaz de assumir. Vendedores bem-sucedidos nunca pressionam o cliente além dos limites que ele pode atingir.

Poupei a última palavra sobre fechamento de uma venda para um velho amigo e colega, o consultor sueco Hans Stennek. Em uma época em que minha pesquisa era controvertida e geralmente rejeitada pela maioria das pessoas em vendas, Hans me deu muito apoio. "Eu nunca acreditei em fechamento", ele me disse, "porque meu objetivo não é fechar a venda, mas abrir um relacionamento." Eu não conseguiria uma forma melhor de dizer isso.

3
Necessidades do Cliente em uma Venda Grande

Sugeri no Capítulo 2 que o sucesso no estágio de Obtenção de Compromisso da visita depende de como os estágios anteriores foram conduzidos. Nossos estudos na Huthwaite revelaram que o estágio com influência mais forte no sucesso geral da visita é o da Investigação (Figura 3.1).

Em nossa pesquisa, fizemos a consistente descoberta de que as pessoas que eram mais eficazes durante o estágio de Investigação eram aquelas com maior probabilidade de se destacarem em vendas. E a pobreza de habilidades de investigação faziam os vendedores parecerem fracos nos estágios seguintes da visita. Inúmeras vezes verificamos que os vendedores descritos por seus gerentes como "fracos de fechamento" eram, de fato, inábeis para investigar. Sempre sentimos um leve prazer quando, depois de um programa conduzido para vendedores, seus gerentes nos dizem coisas como: "Você realmente fez um excelente trabalho em aprimorar as técnicas em fechamento de vendas de Fred" ou "Agora Ana sabe fechar as vendas muito melhor, por isso você deve tê-la

Figura 3.1. O estágio de investigação: Fazendo perguntas e coletando dados sobre os consumidores, suas empresas e suas necessidades.

ensinado algumas técnicas bombásticas". De fato, demos muito pouca atenção ao fechamento. Nosso principal objetivo no treinamento foi o aprimoramento das habilidades investigativas, ensinando as pessoas a desenvolverem as necessidades do cliente com o emprego de perguntas **SPIN**. E isso me traz ao assunto deste capítulo — as necessidades do cliente.

À medida que a venda cresce em tamanho, as necessidades do cliente começam a se desenvolver de modo diferente do que na venda simples. Primeiro, vou dar um exemplo de como as necessidades se desenvolvem em uma venda simples. Alguns meses atrás, eu estava esperando uma conexão de vôo em Atlanta. Enquanto andava por uma loja do aeroporto, um pequeno objeto chamou minha atenção. Era um daqueles canivetes suíços com várias funções, uma faca e uma ferramenta para extrair objetos misteriosos de lugares improváveis. Vinha em um pequeno estojo de couro e custava cerca de $ 15. Dois segundos depois eu estava procurando minha carteira. Minha necessidade se desenvolveu do nada até chegar à compra em muito menos tempo que se leva para ler esta sentença.

Em contrapartida, na primeira vez que eu comprei um sistema informatizado, houve um intervalo de um ano entre as discussões iniciais sobre nossas necessidades e a decisão final. É da natureza das vendas grandes o fato de as necessidades não serem imediatas. Elas se desenvolvem lentamente e serem às vezes, a duras penas. As vendas grandes exigem habilidades especiais de vendas para ajudar esse processo de desenvolvimento de necessidades — e essas habilidades representam algumas das diferenças mais importantes entre o sucesso em pequenas e em grandes vendas.

Necessidades Diferentes em Vendas Simples e em Vendas Grandes

Vamos examinar mais atentamente minha decisão de $ 15 e ver o que ela ilustra sobre as necessidades na venda simples. Claramente, o aspecto mais óbvio e dramático é a velocidade maior do desenvolvimento das necessidades. Mas há outros contrastes com as vendas maiores que devem ser notados. Por exemplo:

- Eu estava satisfazendo uma necessidade exclusivamente minha. Não existia um uso racional para aquele canivete, e ele ainda continua fechado na parte de trás da prateleira, reservada para aquisições que não consigo explicar por que razão foram feitas. Se tivesse pensado mais, provavelmente não o teria comprado. Decisões tomadas por impulso, freqüentemente irracionais, são mais comuns em vendas simples do que em vendas grandes. O componente emocional das necessidades existe em vendas maiores, mas é mais sutil e camuflado.

- Se eu tivesse feito uma compra ruim, que realmente não atendesse às minhas necessidades, a pior coisa que poderia acontecer seria a perda de $ 15. Em contrapartida, a má decisão de compra em uma venda grande poderia me custar o emprego.

Uma compra de $ 15 é, evidentemente, minúscula mesmo em termos de vendas simples. Contudo, ela ilustra algumas diferenças fundamentais entre vendas pequenas e grandes. Em termos gerais, podemos dizer que à medida que a venda se torna maior:

- As necessidades demoram mais para se desenvolverem.
- As necessidades provavelmente envolvem elementos, influências e contribuições de várias pessoas, e não apenas desejos de um único indivíduo.
- É mais provável que as necessidades sejam expressas em base racional, e mesmo que a motivação subjacente do cliente seja emocional ou irracional, a necessidade geralmente exigirá uma justificativa racional.
- Uma decisão de compra que não atende adequadamente às necessidades talvez tenha conseqüências mais sérias para aquele que toma decisões.

Essas diferenças são substanciais o suficiente para exigirem diferentes habilidades para questionar quando estão sendo desenvolvidas as necessidades em uma venda grande? Nossa pesquisa sugere que sim. Descobrimos que algumas das técnicas de investigação que têm muito sucesso em vendas menores fracassaram totalmente nas maiores.

Com o intuito de entender por que as habilidades de formular perguntas são diferentes nas vendas grandes, devemos primeiro ser claros sobre os estágios através dos quais as necessidades se desenvolvem. Vamos começar com uma definição do que queremos dizer por *necessidade*. Em nossa pesquisa, definimos uma necessidade como:

Qualquer afirmação feita pelo comprador que expresse vontade ou preocupação que possa ser satisfeita pelo vendedor.

Por acaso, alguns escritores enfatizaram bastante a distinção entre necessidade e desejo. Necessidade, dizem eles, é uma solicitação objetiva — uma pessoa precisa de um carro porque não há outro meio de transporte que a leve ao trabalho. Desejo, por outro lado, é algo que tem apelo emocional pessoal — uma pessoa deseja ter um Rolls Royce, mas isso não significa que precise ter um. Constatamos que essa distinção não ajuda, principalmente nas vendas grandes. Quando nos referimos ao termo necessidade, usamos a palavra no sentido amplo. Nossa definição inclui as necessidades e os desejos que o comprador expressa.

Como as Necessidades se Desenvolvem

Um comprador potencial que está totalmente satisfeito com a maneira como as coisas são não sente necessidade alguma de mudar. Qual é o primeiro sinal — em qualquer um de nós — de que temos uma necessidade? Nossa satisfação total com a situação existente cai para 99,9%. Já não podemos dizer sinceramente que nos sentimos absolutamente contentes com a maneira como as coisas estão. Por isso, o primeiro sinal de uma necessidade é um leve descontentamento ou insatisfação.

Alguns meses atrás, por exemplo, eu poderia dizer com sinceridade que estava totalmente satisfeito com o processador de texto que estou usando para digitar este livro. Não tinha necessidade, e se alguém estivesse vendendo processadores de texto, eu seria uma visita desperdiçada. Entretanto, enquanto escrevo este livro, passei a perceber algumas pequenas imperfeições. O corretor automático é chato de usar. Certas funções de edição são um pouco complicadas. Minha insatisfação não é grande, mas existe. Ainda não sou um bom cliente potencial para um novo processador de texto, mas as sementes inevitáveis da mudança estão germinando — a insatisfação existe e talvez cresça.

O que acontecerá em seguida? Aos poucos, talvez, fique mais claro para mim que as limitações de edição são um verdadeiro incômodo. Perceberei problemas e dificuldades, e não terei apenas uma pequena insatisfação. Nesse ponto, ficará muito mais fácil para alguém fazer com que eu me interesse por uma máquina nova.

Contudo, a minha percepção de um problema, mesmo que este seja grave, não significa que estou pronto para comprar. A etapa final no desenvolvimento de uma necessidade é traduzir o problema em um desejo, uma demanda, ou uma intenção de agir (Figura 3.2). Não vou comprar um processador de texto novo até que eu queira mudar. E quando isso acontece, estou pronto para comprar.

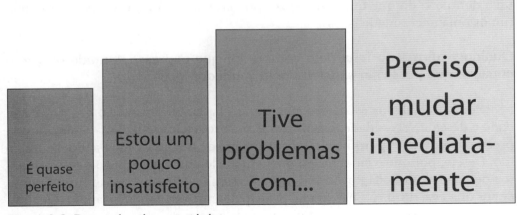

Figura 3.2. Desenvolvendo necessidades.

Então, podemos dizer que as necessidades normalmente:

- Começam com imperfeições mínimas.
- Evoluem para problemas, dificuldades ou insatisfações claros.
- Finalmente se tornam desejos, vontades ou intenções de agir.

Necessidades Implícitas e Explícitas

À medida que começamos a pesquisar as necessidades do cliente na Huthwaite, procuramos uma maneira simples de expressar esta série de estágios. Decidimos dividir necessidades em dois tipos (Figura 3.3):

Necessidades Implícitas. Declarações feitas pelo cliente de problemas, dificuldades e insatisfações. Exemplos típicos seriam: "Nosso atual sistema não é capaz de lidar com o volume de dados", "Estou descontente com os índices de desperdício" ou "Não estamos satisfeitos com a velocidade de nosso processo existente".

Necessidades Explícitas. Declarações específicas do cliente de vontades ou desejos. Exemplos típicos incluiriam: "Precisamos de um sistema mais rápido", "O que estamos procurando é uma máquina mais confiável" ou "Eu gostaria de ter capacidade de *back up*".

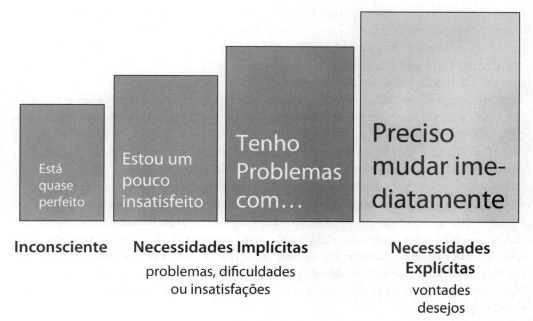

Figura 3.3. Necessidades implícitas e explícitas.

Dessa forma, fomos capazes de tomar o continuum de necessidades e simplificá-lo em apenas duas classes. Implícitas e Explícitas.

Sempre desconfio de pessoas que introduzem novos jargões. Se eu estivesse lendo este capítulo, eu me faria perguntas como: Qual a vantagem de dividir necessidades em Implícitas e Explícitas? Isso não introduz uma complicação desnecessária? Como isso me ajudará a vender? Estas são perguntas justas, as quais têm respostas importantes. Nossa pesquisa sugere que em pequenas vendas a distinção entre Necessidades Implícitas e Explícitas não é crucial para o sucesso. Entretanto, em vendas maiores, uma das diferenças principais entre vendedores bem-sucedidos e os que não têm muito sucesso é a seguinte:

- As pessoas com menor sucesso não diferenciam Necessidades Implícitas de Explícitas, por isso as tratam exatamente da mesma forma.
- Pessoas muito bem-sucedidas, freqüentemente, sem perceber que estão fazendo isso, tratam as Necessidades Implícitas de maneira diferente das Explícitas.

Vamos examinar algumas evidências de pesquisa. Em um de nossos estudos, acompanhamos 646 vendas simples, contando quantas vezes o cliente declarava uma Necessidade Implícita durante a visita. A Figura 3.4 mostra os resultados. As visitas bem-sucedidas continham mais de duas vezes o número de Necessidades Implícitas que as mal-sucedidas. Isso sugere que, em vendas simples, quanto mais Necessidades Implícitas for possível detectar, melhor será a chance de conseguir o negócio. A confirmação disso vem de outro estudo que executamos com uma grande empresa de produtos para escritório. A empresa era dividida em duas seções, uma que vendia produtos mais simples, de baixo preço, e a outra voltada para vendas grandes. Na divisão de venda de produtos mais simples de baixo preço, quando um grupo de vendedores foi treinado para descobrir mais Necessidades Implícitas, suas vendas subiram 31% em comparação àquelas de um grupo-controle não treinado. Então, é razoável dizer que, pelo menos em vendas menores, quanto mais Necessidades Implícitas for possível descobrir, maiores serão suas chances de sucesso.

O que dizer das vendas maiores? O mesmo é válido nesse caso? Não, não é. Quando a venda se torna maior, a relação entre Necessidades Implícitas e o sucesso diminui (Figura 3.5). Em um de nossos estudos, analisamos 1406 vendas maiores, onde o tamanho médio do contrato era de $ 27 mil. Descobrimos que — ao contrário das vendas menores — não havia relação entre o número de Necessidades Implícitas detectadas pelo vendedor e o sucesso da visita. As Necessidades Implícitas são sinais de compra em vendas simples, mas não nas vendas grandes.

Necessidades do Cliente em uma Venda Grande

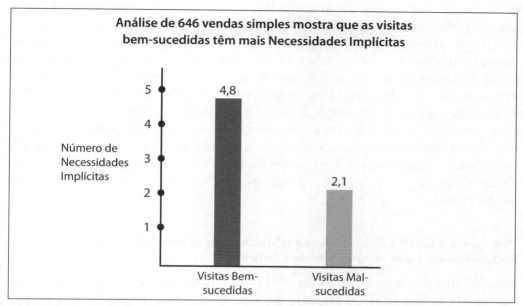

Figura 3.4. As Necessidades Implícitas predizem o sucesso em vendas simples.

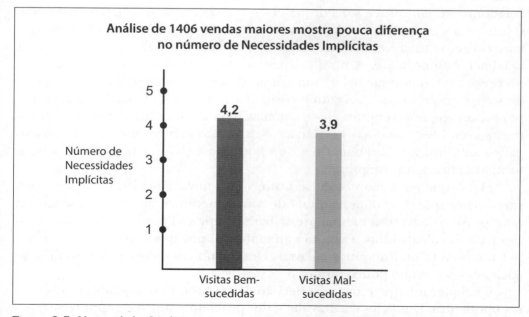

Figura 3.5. Necessidades Implícitas não prevêem o sucesso em vendas maiores.

O que isso significa? Nossa interpretação é de que, em vendas maiores, a quantidade absoluta de Necessidades Implícitas — ou de problemas do cliente — que se descobre não tem muita influência no resultado da visita. Em vez disso, as Necessidades Implícitas são apenas um ponto de partida, a matéria-prima que os vendedores bem-sucedidos usam como parte de sua estratégia de desenvolvimento das necessidades. O que importa na venda maior não é o número de Necessidades Implícitas que se descobre, mas o que se faz com elas depois de descobri-las. Como exemplo disso, na divisão de vendas de produtos de alto valor agregado da empresa de produtos para escritório, executamos um teste pelo qual fomos capazes de aumentar as vendas de 49 pessoas em 37%, em comparação a um grupo-controle correspondente. No entanto, ao contrário de seus colegas que vendiam produtos de baixo preço, o sucesso desses vendedores não estava relacionado ao número de Necessidades Implícitas que eles descobriram.

Por que a Identificação de Necessidades Implícitas Não é fator indicativo de Sucesso em Vendas Grandes

Quando as calculadoras de bolso apareceram, elas foram colocadas à venda em uma feira comercial. A resposta foi incrível. O fabricante, que tinha levado 1500 calculadoras para o stand, vendeu todas em menos de duas horas. Centenas de clientes potenciais não puderam ser atendidos. Por que a nova calculadora teve tanto sucesso? Porque criou a insatisfação imediata apenas pelo volume e a inconveniência das grandes calculadoras de mesa. Em outras palavras, ela gerou uma Necessidade Implícita imediata. Contudo, havia outro fator igualmente importante. A nova calculadora também representava um avanço no preço real, sendo menos de um quinto do custo das complicadas máquinas de somar que ela viria a substituir. Assim, os visitantes da feira tinham um duplo incentivo para comprar; eles tinham as Necessidades Implícitas (ou insatisfações com suas máquinas de somar) e um custo surpreendentemente baixo para a substituição. Combine esses dois fatores e é fácil ver por que as pessoas formavam filas para comprar.

Mas o que teria acontecido se o preço das novas calculadoras fosse cinco vezes maior que o de uma máquina de somar mecânica em vez de apenas um quinto? Ainda haveria a mesma pressa para comprar? Provavelmente não. A razão para as calculadoras serem tão atraentes foi por que elas eram oferecidas por um bom valor. Em outras palavras, eles deram aos compradores muitas capacidades por muito pouco dinheiro.

Qualquer um que tome uma decisão de comprar deve equilibrar dois fatores oponentes. Um deles é a gravidade dos problemas que a compra resolveria. O outro é o custo da solução. No caso das calculadoras, como em muitas vendas pequenas, uma vez que o custo era muito baixo, era fácil as necessidades relativamente superficiais ganharem força em favor da compra.

A Equação de Valor

Uma forma de pensar na relação entre o tamanho das necessidades e o custo de uma solução é o conceito da equação de valor. Como mostra a Figura 3.6, se o cliente percebe o problema como maior que o custo de resolvê-lo, então provavelmente haja uma venda. Por outro lado, se o problema for pequeno e o custo for alto, então é improvável que haja uma compra.

O preço de um produto ou um serviço é geralmente mais baixo em vendas simples. Como resultado, o tamanho das necessidades percebidas do outro lado da equação não precisa ser muito grande. Ou seja, as Necessidades Implícitas podem ser suficientes para justificar uma compra no caso de uma pequena decisão, como a compra da calculadora. Contudo, se a calculadora tivesse custado mais que as máquinas de calcular convencionais, então a necessidade teria de ser correspondentemente maior para justificar uma compra.

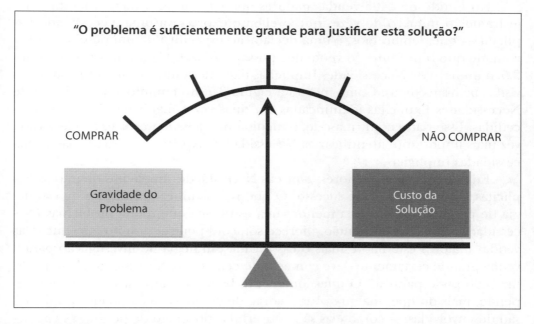

Figura 3.6. Equação de valor: se a gravidade do problema compensa o custo de resolvê-lo, há uma base para o sucesso na venda.

Isso explica por que se pode ter sucesso em vendas menores, em que o custo da solução é geralmente baixo, ao descobrir os problemas ou as Necessidades Implícitas. E também explica por que, em vendas grandes, se deve desenvolver ainda mais a necessidade de modo que ela se torne maior, mais séria e mais aguda a fim de justificar o custo adicional da solução. É preciso lembrar que nas vendas maiores o custo não é medido apenas em termos de dinheiro. Como já foi dito, uma decisão ruim pode custar o emprego do comprador. O comprador percebe freqüentemente riscos e desconfortos significativos (que não podem ser medidos em termos de dinheiro) como *acréscimos* ao lado do custo da equação de valor.

Necessidades Explícitas e Sucesso

Se é verdade que a necessidade tem de ser maior para justificar uma solução mais onerosa, então é de se esperar que o sucesso na venda grande esteja mais fortemente relacionado com a quantidade de Necessidades Explícitas identificadas durante a visita que ao número de Necessidades Implícitas. Isso é fácil de testar.

No estudo de 1406 vendas maiores que citei anteriormente, também registramos o número de vezes que o cliente expressava uma Necessidade Explícita — que, lembremos, é uma declaração específica de um desejo ou uma vontade que o produto do vendedor possa satisfazer. Como mostrou a Figura 3.5, o número de Necessidades Implícitas não era significativamente maior nas visitas bem-sucedidas. Como mostra a Figura 3.7, no entanto, a quantidade de Necessidades Explícitas identificadas era duas vezes maior nas visitas bem-sucedidas. Esse dado confirma que, à medida que a venda cresce, torna-se cada vez mais importante identificar as Necessidades Explícitas e não apenas as Necessidades Implícitas.

Então, em vendas maiores, tanto as Necessidades Implícitas quanto as Explícitas são indicadores de sucesso. O que isso significa em termos de estratégia de perguntas? Na venda menor, uma estratégia que revela problemas (Necessidades Implícitas) e, então, oferece soluções pode ser muito eficiente. Nas vendas maiores este não é mais o caso. Uma estratégia de investigação para a venda grande certamente deve começar detectando as Necessidades Implícitas, mas não pode parar aí. O questionamento bem-sucedido na venda maior depende, mais do que qualquer outra coisa, de como as Necessidades Implícitas são desenvolvidas — como elas são convertidas por meio de perguntas em Necessidades Explícitas.

Sinais de Compra na Venda Maior

A maioria das pessoas em vendas conhece o conceito de sinais de compra, declarações feitas pelo cliente que indicam sua disposição para comprar ou para ir em frente. As Necessidades Implícitas são sinais de compra exatos para pequenas vendas; quanto mais um cliente concorda com um problema ou dificuldade, mais provável será a venda. Em contrapartida, as Necessidades Explícitas são os sinais de compra que indicam o sucesso em vendas maiores. Observamos que à medida que os vendedores ganham experiência, geralmente eles dão mais peso às Necessidades Explícitas como sinais de compra para julgarem o sucesso de uma visita. Pessoas menos experientes colocam um peso grande demais nas Necessidades Implícitas.

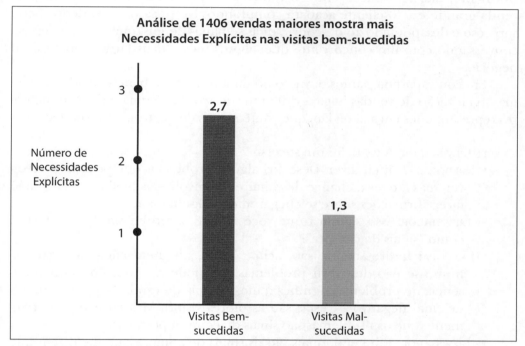

Figura 3.7. Necessidades Explícitas e sucesso em vendas maiores.

Por exemplo, vejamos um vendedor inexperiente no setor de telecomunicações. Pode-se observar como ele coloca grande ênfase nas Necessidades Implícitas que descobriu como evidência de que a venda avançou.

ENTREVISTADOR: ...então você diria que a visita foi um sucesso?
VENDEDOR: Sim, acho que sim.
ENTREVISTADOR: Foi alguma coisa que o cliente disse — sinais de compra, por exemplo — que o fez considerá-la um sucesso?
VENDEDOR: Sim. Ele concordou que tinha problema de capacidade nos picos do período da manhã.
ENTREVISTADOR: Algo mais?
VENDEDOR: Ele não está satisfeito com a qualidade da transmissão de dados.

ENTREVISTADOR: E com base nesses "sinais", você diria que a visita foi um sucesso?
VENDEDOR: Acho que sim. Afinal, podemos ajudá-lo em ambos os problemas. Acho que há boa chance de se fazer negócio.

Aqui, o vendedor considera a visita um sucesso porque o cliente levantou dois problemas, ou Necessidades Implícitas. Contudo, como discutimos anteriormente, não há relação entre o número de problemas revelados em uma venda grande e se o cliente acabará comprando. Nesse caso, o vendedor ficou surpreso e desapontado ao descobrir, duas semanas depois, que o cliente estava conversando com um concorrente que, alguns meses mais tarde, conseguiu o negócio.

Em contrapartida, vamos ouvir como uma vendedora bem-sucedida da mesma organização de vendas julga a visita um sucesso. Ela é uma das cinco melhores representantes em sua região, que contém mais de quatrocentos vendedores.

ENTREVISTADOR: A visita foi um sucesso?
VENDEDORA: É difícil dizer. Descobri alguns problemas que podíamos resolver, mas até ter a chance de voltar e desenvolvê-los melhor, prefiro não fazer afirmações sobre se chegaremos a algum lugar.
ENTREVISTADOR: Isso significa que você não vê os problemas que detectou como "sinais de compra"?
VENDEDORA: Indiretamente são, acho. Afinal, ninguém chega a lugar nenhum se não descobrir problemas que pode resolver. Portanto, a ausência de problemas significa a inexistência de venda — e este é o tipo de sinal negativo — estas são as piores visitas. Mas eu não diria realmente que os problemas são sinais de compra positivos.
ENTREVISTADOR: Em geral, quais são os sinais de compra que lhe dizem que uma visita foi um sucesso?
VENDEDORA: É quando se ouve o cliente falar sobre a ação. Coisas como "Vou reformular nossa rede de dados no próximo ano" ou "Estamos procurando um sistema com estas três características". São coisas assim.
ENTREVISTADOR: Você sabe a diferença entre as Necessidades Implícitas e Explícitas. Parece que você está dizendo que as Necessidades Explícitas são um sinal melhor que as Implícitas. Isso seria correto?
VENDEDORA: Sim. Não posso contar com problemas, é preciso ter algo mais forte. É por isso que eu acho que a grande habilidade em vendas não é tanto fazer o cliente admitir problemas. Quase todos que visito têm problemas, mas isso não significa que eles vão comprar. A verdadeira habilidade é como fazer esses problemas parecerem maiores para levar a uma ação. E quando o cliente começa a falar de ação, então eu identifico os "sinais de compra".

Aqui, ao contrário da pessoa inexperiente, a vendedora não acredita muito em problemas ou Necessidades Implícitas. Em vez disso, o foco dela está no que ela chama de "ações". Os exemplos que ela oferece são o que, em nossa terminologia, chamaríamos de Necessidades Explícitas. Como a maioria das pessoas de muito sucesso com quem trabalhamos, esta vendedora enfatiza bastante o desenvolvimento de necessidades como a habilidade mais importante em vendas.

Sugeri no Capítulo 2 que desenvolver necessidades é uma função-chave das perguntas. Em termos de venda maior, agora podemos expressar esse fato com mais exatidão:

O propósito das perguntas na venda maior é descobrir Necessidades Implícitas e transformá-las em Necessidades Explícitas.

No próximo capítulo mostrarei como isso pode ser feito usando-se perguntas **SPIN**.

4
A Estratégia SPIN

O Capítulo 3 concluiu que o propósito das perguntas em uma visita de vendas é detectar Necessidades Implícitas e desenvolvê-las em Necessidades Explícitas. Neste capítulo examinaremos como as quatro perguntas **SPIN** — Situação, Problema, Implicação e Necessidade de Solução — podem ser utilizadas para ajudar nesse processo de desenvolvimento de necessidades.

Perguntas de Situação

Em nossa pesquisa na Huthwaite descobrimos que logo no início da visita de vendas, principalmente com novas contas ou novos clientes, as perguntas dos vendedores tendem a seguir um padrão identificável. Suponha, por exemplo, que você esteja me visitando pela primeira vez. Que perguntas você faria? Você poderia querer saber algo *sobre mim*, então você faria perguntas como:

> Qual é sua posição?
> Há quanto tempo está aqui?
> Você toma as decisões de compra?
> Em sua opinião, quais são os objetivos nesta área?

Você poderia querer também saber algo sobre meu negócio, então poderia perguntar:

> Que tipo de negócio você dirige?
> Está crescendo ou diminuindo?
> Qual é seu volume anual de vendas?
> Quantas pessoas você emprega?

Você precisa entender como meu negócio está operando, por isso poderia fazer perguntas como:

Que equipamento você está usando atualmente?
Há quanto tempo você o tem?
Ele é seu ou é alugado?
Quantas pessoas o utilizam?

Qual é o fator comum em todas essas perguntas? Cada uma reúne fatos, informações e dados históricos sobre a situação do cliente naquele momento. Então, lhe demos o nome óbvio de Perguntas de Situação (Figura 4.1).

As Perguntas de Situação são uma parte essencial da maioria das visitas de venda, particularmente aquelas feitas no início do ciclo de vendas. O que nossa pesquisa descobriu sobre elas?

■ As Perguntas de Situação não estão positivamente relacionadas ao sucesso. Em visitas bem-sucedidos, os vendedores fazem menos Perguntas de Situação que naquelas que fracassam.

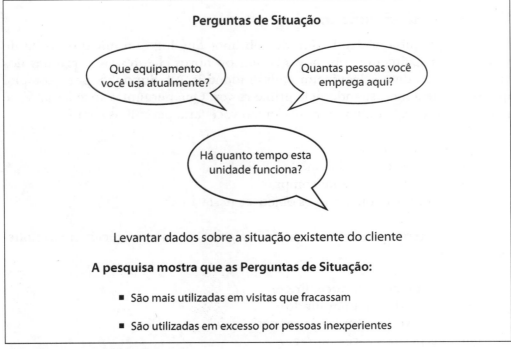

Figura 4.1. Perguntas de Situação

A Estratégia **SPIN** 83

- Vendedores inexperientes fazem mais Perguntas de Situação que aqueles que têm mais experiência em vendas.
- As Perguntas de Situação são uma parte essencial do questionamento, mas devem ser utilizadas com cuidado. Vendedores bem-sucedidos fazem menos Perguntas de Situação. Cada pergunta que eles fazem tem um foco, ou propósito específico.
- Os compradores se aborrecem rapidamente ou ficam impacientes se lhes fazem Perguntas de Situação demais.

Essas conclusões são fáceis de explicar. Pergunte-se quem se beneficia com as Perguntas de Situação, o comprador ou o vendedor? O vendedor, claro. Um cliente ocupado geralmente não sente enorme prazer e satisfação ao dar detalhes e mais detalhes de sua situação a um vendedor. E isto acontece principalmente com compradores profissionais e agentes de compra. Certa vez trabalhei durante várias semanas com compradores. Mesmo em meu papel neutro de observador, resmungava comigo mesmo quando um vendedor atrás do outro me fazia perguntas como: "Fale-me de seu negócio" ou "Por quais etapas se passa até a decisão de compra chegar aqui?". Não sei como os compradores mantiveram sua sanidade, respondendo pacientemente às mesmas perguntas dia após dia. Acabei acreditando que há um lugar especial no inferno reservado para vendedores maléficos onde eles permanecem por toda a eternidade sendo forçados a responder a suas próprias Perguntas de Situação.

Por que descobrimos que vendedores inexperientes fazem mais Perguntas de Situação que aqueles com maior experiência em vendas? Presumivelmente porque as Perguntas de Situação são mais fáceis de fazer e eles se sentem seguros. Quando eu não sabia muito sobre vendas, minha principal preocupação na visita era tomar cuidado para não ofender o comprador. E uma vez que as Perguntas de Situação pareciam muito inofensivas, eu fazia muitas delas. Infelizmente, naqueles tempos, eu não tinha chegado à grande verdade em vendas: não se deve aborrecer os clientes para que eles comprem. E a falha das Perguntas de Situação é que, do ponto de vista do comprador, elas provavelmente *sejam* entediantes.

Isso significa que não se deve fazer Perguntas de Situação? Não — não é possível vender sem elas. O que a pesquisa mostra é que pessoas bem-sucedidas não fazem Perguntas de Situação desnecessárias. Elas fazem sua lição de casa antes da visita e, através de um bom planejamento preparatório, eliminam muitas das perguntas para encontrar dados que podem aborrecer o comprador.

À medida que os vendedores ganham experiência, seu comportamento muda. Eles não passam mais a maior parte da visita reunindo informações sobre a situação. Em vez disso, as perguntas deles passam para uma área diferente.

Perguntas de Problema

É bastante provável que vendedores experientes façam perguntas como estas:

Você está satisfeito com seu equipamento atual?

Quais são as desvantagens ao lidar com seu sistema atual?

Não é difícil processar picos de carga com seu sistema atual?

Sua máquina atual é confiável?

Qual é o fator comum em todas estas perguntas? Cada uma investiga problemas, dificuldades ou insatisfações. Cada uma convida o cliente a declarar Necessidades Implícitas. Nós as chamamos de Perguntas de Problema (Figura 4.2), e nossa pesquisa descobriu que:

- Perguntas de Problema estão mais fortemente associadas ao sucesso em vendas do que as Perguntas de Situação.
- Em vendas menores a ligação é muito forte: quanto mais Perguntas de Problema o vendedor faz, maiores as chances de a visita ser um sucesso.

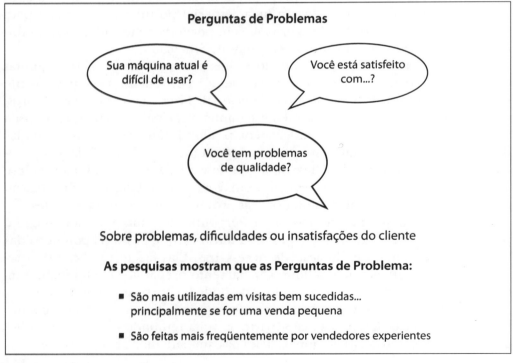

Figura 4.2. Perguntas de Problema

A Estratégia **SPIN**   **85**

- Em vendas maiores, no entanto, as Perguntas de Problema não estão tão ligadas ao sucesso. Não há evidências de que ao aumentar as Perguntas de Problema se possa aumentar a eficácia nas vendas.
- A razão direta entre Perguntas de Situação e Perguntas de Problema feitas por vendedores é uma prática de sua experiência. Pessoas experientes fazem uma proporção maior de Perguntas de Problema.

Vamos examinar mais atentamente o significado dessas conclusões. Dificilmente surpreenderia o fato de Perguntas de Problema terem um efeito mais positivo nos clientes que as Perguntas de Situação. Se alguém não consegue resolver um problema do cliente, então não há base para uma venda. Contudo, se detecta problemas que pode resolver, então estará fornecendo algo potencialmente útil ao comprador.

Perguntas de Problema e Experiência

Também é fácil entender por que pessoas experientes fazem menos Perguntas de Situação e mais Perguntas de Problema. Lembro-me de como isso aconteceu em minha venda — é possível que você tenha lembranças parecidas. Quando eu era jovem e inexperiente, minhas visitas típicas de vendas consistiam de tantas Perguntas de Situação quantas o comprador me deixasse fazer. Então, quando a expressão inevitável de desinteresse passava pela face do comprador, em geral rapidamente seguida por sinais de impaciência, eu parava de perguntar e começava a falar das características do que tinha a oferecer. Se naquele ponto de minha carreira alguém me dissesse para fazer perguntas sobre problemas do comprador, eu teria ficado relutante. Mesmo as Perguntas de Situação "seguras" deixavam meus compradores impacientes — certamente eu não queria arriscar aborrecê-los ainda mais com perguntas potencialmente ofensivas sobre problemas.

Entretanto, chegou o dia em que criei coragem e comecei a perguntar sobre os problemas. Para minha surpresa, em vez de ficarem ofendidos, os clientes começaram a se mostrar mais atentos. Minhas visitas melhoraram. Logo estava passando mais tempo fazendo perguntas sobre problemas e menos tempo descobrindo detalhes intermináveis da situação do cliente. Pessoas mais experientes com quem conversei podem lembrar-se de uma transição muito semelhante nas próprias vendas.

Perguntas de Problema na Venda Grande

É verdade que as Perguntas de Problema estão bastante relacionadas ao sucesso nas vendas simples, mas são uma parte essencial da investigação à medida que as vendas crescem. Afinal, se alguém não consegue descobrir qualquer problema para resolver, então, não tem base para um relacionamento profissional. Em vendas maiores, há, como veremos neste capítulo, outros tipos mais poderosos de perguntas. Contudo, são as Perguntas de Problema que fornecem a matéria-prima a partir da qual o restante da venda será construído. Quando estamos treinando vendedores de contas-chaves, é muito provável que nosso ponto de partida seja uma análise de como eles estão fazendo Perguntas de Problema.

Uma Pergunta Mais Difícil

Por que as Perguntas de Problema teriam mais impacto em vendas simples que nas grandes? Vamos examinar evidências de pesquisa. Como mostra a Figura 4.3, em nossa análise de 646 vendas simples descobrimos que o nível de Perguntas de Problema era o dobro nas visitas que tinham êxito. E como descrito no Capítulo 3, quando treinávamos pessoas que vendem bens mais baratos a fazerem Perguntas de Problema, havia um aumento significativo em suas vendas.

Entretanto, as Perguntas de Problema têm uma ligação muito menor com o sucesso em vendas maiores (Figura 4.4). Isso porque as Necessidades Implícitas, como vimos no Capítulo 3, não são indicadores de sucesso em vendas maiores. O propósito das Perguntas de Problema é revelar Necessidades Implícitas. Então, se as Necessidades Implícitas não são indicadores de sucesso na venda maior, as Perguntas de Problema também não o são.

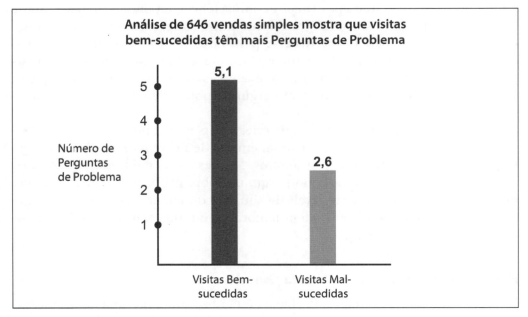

Figura 4.3. Perguntas de Problema são indicadores de Sucesso em Vendas Simples.

A Estratégia SPIN

Uma Exceção Interessante

Embora as Perguntas de Problema geralmente funcionem melhor em vendas pequenas do que nas grandes, há uma exceção interessante. Masaaki Imai, presidente da Cambridge Corporation, executou alguns experimentos conosco no Japão. Embora no Ocidente seja bastante aceitável fazer perguntas a compradores sobre problemas, isso não é tão fácil na cultura japonesa. Há sempre o risco de estar insultando ou ser ofensivo se alguém sugere que o cliente — uma pessoa de status — tem problemas. Devido a essa diferença cultural, os vendedores japoneses fazem muito poucas Perguntas de Problema, comparados aos ocidentais. Contudo, embora as Perguntas de Problema possam ser mais difíceis de fazer, existe alguma evidência de que elas se liguem ao sucesso em vendas no Japão?

Trabalhando com a Divisão de Engenharia de Produtos da Fuji Xerox, Imai descobriu que apesar das barreiras para fazê-las, as Perguntas de Problema estavam, de fato, mais ligadas a vendas bem-sucedidas. Quando um grupo de vendedores foi treinado em habilidades de investigação que incluíam Perguntas de Problema, suas vendas cresceram 74%, comparadas a um grupo de controle não treinado. Nesse caso, as Perguntas de Problema estavam bastante ligadas ao sucesso em uma venda grande.

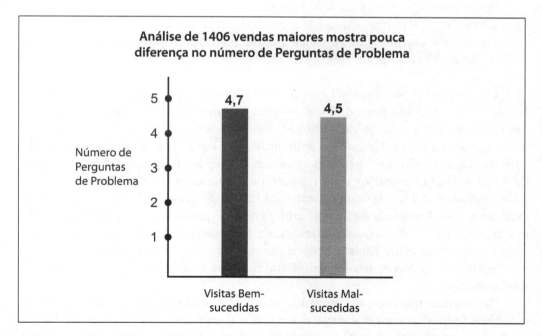

Figura 4.4. Perguntas de Problema não predizem o sucesso em vendas maiores.

Perguntas de Implicação

Os vendedores mais experientes, diante de um cliente de um uma conta-chave, são capazes de fazer Perguntas de Situação e de Problema de forma mais adequada. Infelizmente, é aí que a investigação da maioria das pessoas pára. Nas vendas simples pode-se ter muito sucesso ao detectar problemas e então demonstrar que eles podem ser solucionados — por isso um estilo de venda com base em apenas Perguntas de Situação e de Problema pode ser bem eficiente. Embora muitas pessoas usem esse estilo em vendas maiores, ele não é eficiente nesse tipo de venda. Este pequeno exemplo deve ilustrar o por quê:

> VENDEDOR: *(Pergunta de Situação)* Você usa máquinas Contortomat nesta divisão?
> COMPRADOR: Sim, tenho três.
> VENDEDOR: *(Pergunta de Problema)* E seus operadores têm dificuldade em operá-las?
> COMPRADOR: *(Necessidade Implícita)* São bem difíceis, mas aprendemos a fazê-las funcionar.
> VENDEDOR: *(oferecendo uma solução)* Poderíamos resolver essa dificuldade operacional para você com nosso novo sistema Easiflo.
> COMPRADOR: Quanto custa seu sistema?
> VENDEDOR: O sistema básico custa cerca de $120 mil e...
> COMPRADOR *(surpreso)* $120 mil!!! Só para ter uma máquina mais fácil de usar? Você só pode estar brincando.

O que aconteceu aqui? O comprador percebe uma pequena Necessidade Implícita — "Elas são bem difíceis" — mas certamente não acha que o problema justifique uma solução de $120 mil. Em termos da equação de valor (Figura 4.5), o problema não é grande o suficiente para equilibrar o alto custo para resolvê-lo. Entretanto, se o preço do sistema Easiflo fosse de apenas $120 em vez de $120 mil? O comprador teria reagido de forma tão negativa? Provavelmente não; embora $120 mil seja um absurdo, $120 é um preço baixo a pagar para se facilitar o uso. Então, se esta fosse uma venda pequena — se o produto Easiflo custasse apenas $120 — bastaria detectar a Necessidade Implícita de que as máquinas existentes eram mais difíceis de usar para se ter o negócio. Como vimos no Capítulo 3, as Necessidades Implícitas ajudam muitíssimo o sucesso em vendas menores.

Em vendas maiores, no entanto, não basta detectar problemas e oferecer soluções. O que o vendedor deveria ter feito? É aqui que as Perguntas de Implicação se tornam mais importantes para o sucesso. Vejamos como um vendedor mais hábil usaria as Perguntas de Implicação para desenvolver a gravidade do problema antes de oferecer uma solução:

A Estratégia SPIN

VENDEDOR: *(Pergunta de Problema)* E elas são difíceis para seus operadores usarem?

COMPRADOR: *(Necessidade Implícita)* São bem difíceis, mas aprendemos a fazê-las funcionar.

VENDEDOR: *(Perguntas de Implicação)* Você diz que são difíceis de usar. Que efeito isso tem em sua produção?

COMPRADOR: *(percebendo o problema como pequeno)* Muito pouco porque treinamos especialmente três pessoas que sabem como usá-las.

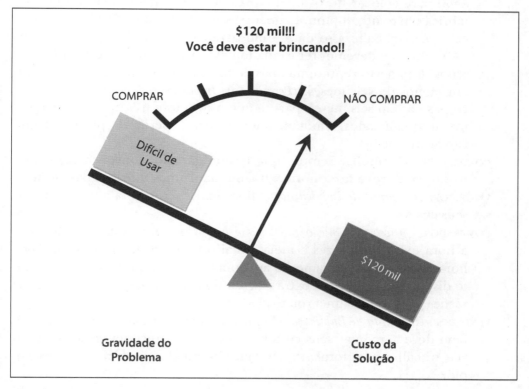

Figura 4.5

VENDEDOR: *(Pergunta de Implicação)* Se você só tem três pessoas que podem usá-las, isso não cria gargalos no trabalho?

COMPRADOR: *(ainda achando que o problema não é importante)* Não, somente quando um operador de Contortomat sai é que temos problema, enquanto esperamos um substituto para ser treinado.

VENDEDOR: *(Pergunta de Implicação)* Parece que a dificuldade de usar essas máquinas pode estar levando a um problema de rotatividade com os operadores que você treinou. Certo?

COMPRADOR: *(reconhecendo um problema maior)* Sim, certamente as pessoas não gostam de usar máquinas Contortomat, e os operadores geralmente não ficam conosco muito tempo.

VENDEDOR: *(Pergunta de Implicação)* O que essa rotatividade significa em termos de custo de treinamento?

COMPRADOR: *(vendo mais)* Requer alguns meses até que um operador adquira proficiência, então isso pode representar $4 mil em salários e benefícios para cada operador. Ainda por cima, pagamos à Contortomat $500 para colocar novos operadores em treinamento externo em sua fábrica em Southampton. Logo, acrescentamos talvez $100 para custos com viagem. Sabe, isso dá $ 5 mil para cada operador que treinamos — e acho que devemos ter treinado pelo menos cinco só este ano.

VENDEDOR: Então isto representa mais de $25 mil em custos de treinamento em menos de seis meses. *(Pergunta de Implicação)* Se você treinou cinco pessoas em seis meses, parece que nunca teve três operadores totalmente qualificados simultaneamente: qual a perda de produção que isso acarretou?

COMPRADOR: Não muita. Sempre que há um gargalo, convencemos os outros operadores a fazer hora extra, ou mandamos trabalho para fora.

VENDEDOR: *(Pergunta de Implicação)* A hora extra acrescenta ainda mais aos seus custos?

COMPRADOR: *(percebendo que o problema é bem sério)* Sim, estamos pagando a hora extra duas vezes e meia a mais que o pagamento normal por hora. Mesmo com pagamento adicional, os operadores não estão muito dispostos a fazer hora extra — e tenho certeza de que esta é uma das razões para termos uma rotatividade tão alta.

VENDEDOR: *(Pergunta de Implicação)* Vejo como enviar trabalho para fora também deve aumentar seus custos, mas essa é a única implicação de enviar trabalho para fora? A qualidade do trabalho é afetada, por exemplo?

COMPRADOR: É isso que mais me aborrece. Posso controlar a qualidade de tudo o que produzimos internamente, mas quando alguma coisa vai para fora fico à mercê dos outros.

VENDEDOR: *(Pergunta de Implicação)* E presumivelmente, ser forçado a enviar trabalho para fora também o coloca à mercê dos cronogramas de entrega dos outros?

COMPRADOR: Nem fale nisso! Já gastei três horas ao telefone procurando a solução para uma entrega atrasada.

VENDEDOR: *(resumindo)* Então, de acordo com o que você disse, em razão das máquinas Contortmat serem tão difíceis de usar, você gastou $25 mil em

A Estratégia SPIN

treinamento este ano e a rotatividade de operadores está lhe custando caro. Você tem gargalhos na produção, e estes resultam em hora extra dispendiosa e o forçam a enviar trabalho para ser feito fora. Contudo, a terceirização não é satisfatória porque você perde em qualidade e as entregas atrasam.

COMPRADOR: Quando você coloca isso nesses termos, vemos que aquelas máquinas Contortomat estão criando um problema realmente sério.

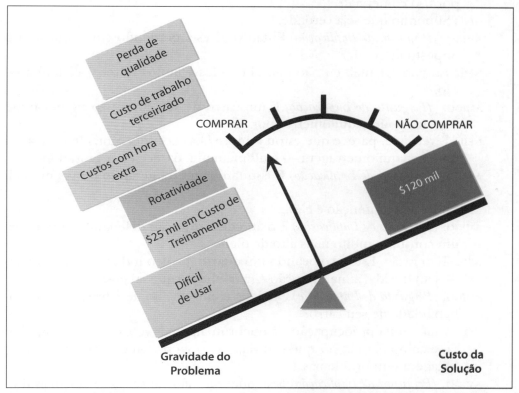

Figura 4.6. A equação de valor: A gravidade do problema agora compensa o custo da solução.

Que efeito o vendedor teve na equação de valor do comprador? Um pequeno problema agora se tornou muito maior — e tão mais oneroso — que uma solução de $120 mil não parece mais fora de propósito (Figura 4.6).

Este é o objetivo fundamental de Perguntas de Implicação em vendas maiores. Elas tomam um problema que o comprador percebe ser pequeno e constroem um problema grande o suficiente para justificar a ação. É claro que as Perguntas de Implicação podem funcionar também em vendas maiores. Há alguns meses eu conversava com um amigo sobre carros. A conversa foi mais ou menos assim:

AMIGO: Como está seu carro, Neil?

NEIL: Não está ruim. Está ficando um pouco velho, mas ainda dá para andar.

AMIGO: Então você não está pensando em um carro novo?

NEIL: Não. Dá para viver um pouco mais com o que tenho.

AMIGO: *(Pergunta de Implicação)* Mas o seu carro deve ter pelo menos sete anos. Isso não significa que você não pode declarar depreciação nele por uso comercial?

NEIL: Suponho que seja verdade.

AMIGO: *(Pergunta de Implicação)* Então você está perdendo em deduções do imposto de renda?

NEIL: Eu não calculei, eu não pensei que fosse tanto. Talvez você tenha razão.

AMIGO: *(Pergunta de Implicação)* E um carro de sete anos não significa que você faz poucos quilômetros por litro?

NEIL: É verdade, parece que estou sempre abastecendo. Sim, ele nunca fez uma boa quilometragem — e ultimamente parece estar piorando.

AMIGO: *(Pergunta de Implicação)* E isso também está gerando custos mais altos para você?

NEIL: Sim, a manutenção é cara.

AMIGO: *(Pergunta de Implicação)* E o ano de fabricação dele também significa um consumo muito mais alto de óleo?

NEIL: Tem razão. Estou colocando um quarto de óleo toda vez que abasteço — sem dúvida, a manutenção é mais alta do que eu gostaria.

AMIGO: *(Pergunta de Implicação)* Qual é o efeito do ano de fabricação na confiabilidade de seu carro?

NEIL: Esta é uma preocupação. Já quebrou algumas vezes, mas... bem, você sabe como é, toda vez que vou viajar não sei se vou conseguir terminar a viagem sem problemas.

AMIGO: *(Pergunta de Implicação)* E se quebrar, não vai ser cada vez mais difícil encontrar uma oficina mecânica que tenha peças de reposição para um carro de sete anos?

NEIL: Até agora tive sorte, mas isso não garante nada.

AMIGO: *(Pergunta de Implicação)* Não seria horrível se você quebrasse e tivesse que esperar dois meses para que as peças chegassem?

NEIL: Sim, isso me preocupa. Sabe, estou começando a achar que é hora de trocar. O que você recomendaria em termos de um carro novo de tamanho médio?

A venda de um carro certamente é minúscula em comparação a vendas maiores das quais falamos. Como podemos ver, as Perguntas de Implicação contribuem para aumentar as Necessidades Implícitas em qualquer decisão (Figura 4.7). Mesmo em vendas bem pequenas feitas em uma única visita, as Perguntas de Implicação são uma boa forma de prever o sucesso. Entretanto, como vimos, é possível ter sucesso em pequenas vendas sem as Perguntas de Implicação. Por essa razão, algumas pessoas poderiam considerar as Perguntas de Implicação como totalmente desnecessárias quando a decisão é pequena.

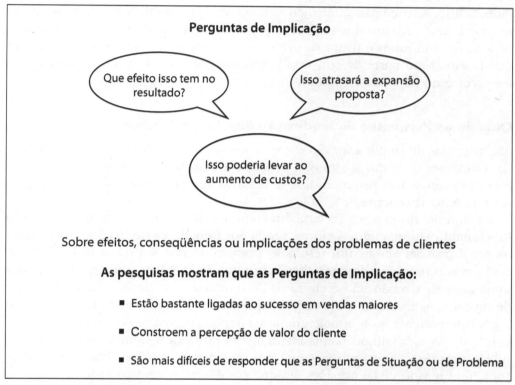

Figura 4.7. Perguntas de Implicação

Muitas Vezes, Profissionais Técnicos Vendem Melhor do que Percebem

Há outro aspecto interessante nessa conversa sobre carros. Não era uma visita de vendas: meu amigo não entende nada de vendas. Ele é um consultor em engenharia que foge se alguém lhe pede para vender alguma coisa. No entanto, aqui está ele fazendo um trabalho melhor no desenvolvimento de minhas necessidades do que 99% dos profissionais cuja atividade é a venda de carros. Muitos profissionais, principalmente aqueles que têm de fazer muitas perguntas diagnósticas como parte de seu trabalho, podem aprender com rapidez e facilidade a usar as Perguntas de Implicação como recurso para ajudá-los a vender.

Na Huthwaite concebemos o treinamento de vendas para muitos profissionais e organizações de consultoria e ficamos continuamente surpresos ao ver com que rapidez muitos daqueles que treinamos — que pensam ser incapazes de vender — podem se tornar muito hábeis em fazer Perguntas de Implicação. Atualmente, estamos trabalhando com sócios de uma das oito grandes empresas de auditoria. Nada poderia ir além da imagem de um vendedor de sucesso que o estereótipo que muitos de nós temos de auditores. Como diz o velho ditado, "Filho, se você não quer o entusiasmo e a pressão de ser contador, torne-se um auditor". Alguns dos auditores que treinamos parecem partilhar esta percepção de si mesmos e ficam surpresos ao descobrir que muitas das perguntas que fazem como parte da conversa profissional normal também os ajudarão a ter sucesso no papel de vendedor.

Quando as Perguntas de Implicação Funcionam Melhor

As Perguntas de Implicação são extremamente eficazes em certos tipos de venda. Obviamente, como já vimos, a principal força das Perguntas de Implicação está nas vendas maiores, quando é necessário aumentar o tamanho do problema na mente do cliente.

Contudo, nossa pesquisa também constatou que as Perguntas de Implicação funcionam extremamente bem na venda aos tomadores de decisão. Freqüentemente é possível atingir um resultado positivo de visitas a usuários ou influenciadores simplesmente fazendo-lhes Perguntas de Problema, mas com visitas aos tomadores de decisão não é tão fácil. Os tomadores de decisão parecem reagir de modo mais favorável a vendedores que revelam implicações. Talvez isso não seja surpreendente, pois aquele que toma decisão é uma pessoa cujo sucesso depende de ver além do problema imediato, identificando efeitos e conseqüências subjacentes. Seria possível dizer que um tomador de decisão lida com implicações. Tem havido várias ocasiões em que conversamos com profissionais que tomam decisão após uma visita e os ouvimos comentarem favoravelmente sobre vendedores que lhes fizeram Perguntas de Implicação, dizendo coisas como "essa pessoa falava a minha linguagem". Implicações é a linguagem de quem toma decisões, e se alguém conseguir usar a linguagem deles, os influenciará melhor.

Uma descoberta de pesquisa mais curiosa é que as Perguntas de Implicação têm um impacto imenso em vendas de alta tecnologia. É uma dessas descobertas de pesquisa que eu não sei como explicar. Uma explicação potencial é que em tecnologias mais antigas, que mudam lentamente, o cliente pode ter comprado produtos parecidos durante muitos anos e por isso já entende as implicações; em conseqüência, as Perguntas de Implicação são redundantes. Não acho essa explicação muito convincente. Meus colegas, que trabalham intensamente em mercados de alta tecnologia, têm outra explicação. Muitos clientes de alta tecnologia, sugerem eles, consideram as decisões muito arriscadas pelo fato de o mercado de alta tecnologia ser complexo e mudar rapidamente. Sob essas circunstâncias, os clientes precisam considerar os problemas com seu atual equipamento bastante graves antes de se sentirem dispostos a arriscarem a compra de algo que percebem ser novo e diferente. Também ouvi sugestões de que os clientes não confiam em vendedores de alta tecnologia, por isso se sentem mais à vontade com alguém que recua e tenta entender as implicações do que com alguém que acata soluções prematuras e freqüentemente inadequadas. A plausibilidade dessa explicação é reforçada pela piada: Qual é a diferença entre pessoas que vendem carros usados e pessoas que vendem produtos de alta tecnologia? Resposta: As pessoas que vendem carros usados *sabem* que estão mentindo.

Um Aspecto Potencialmente Negativo

As Perguntas de Implicação não são uma descoberta nova. As pessoas faziam muitas dessas perguntas antes de começarmos nossa pesquisa. Durante toda a História, aqueles que sabiam persuadir detectavam problemas e os tornavam maiores, explorando suas implicações. Sócrates era um mestre nisso — lendo qualquer um dos diálogos de Platão vê-se como um dos maiores persuasores de todos os tempos usa Perguntas de Implicação. Entretanto, o caso de Sócrates também ilustra que, apesar de seu poder de venda, as Perguntas de Implicação têm uma fraqueza. Por definição, elas tornam os clientes mais incomodados com os problemas. Os vendedores que fazem muitas Perguntas de Implicação podem fazer seus compradores se sentirem negativos e deprimidos. Não é que muitos vendedores acabem sendo forçados a tomar cicuta, mas sabe-se lá se o questionamento de Sócrates não contribuiu para a sua ruína.

Uma vez que fazer os problemas parecerem piores é tanto a força quanto o perigo potencial das Perguntas de Implicação, haverá alguma forma de conseguir benefícios ao tornar um problema mais agudo sem correr o risco de deprimir o cliente? É aí que entra o próximo tipo de pergunta.

Perguntas de Necessidade de Solução

Nossa pesquisa na Huthwaite mostrou que pessoas bem-sucedidas usam dois tipos de perguntas para desenvolverem Necessidades Implícitas em Necessidades Explícitas. Primeiro, usam Perguntas de Implicação para construir o problema de modo que ele seja percebido como mais grave, e então recorrem a um segundo tipo de pergunta para destacar o valor ou a utilidade da solução. É o uso desse segundo tipo de pergunta para construir elementos positivos de uma solução que impede qualquer percepção desfavorável dos clientes. Chamamos essas perguntas positivas centradas na solução de Perguntas de Necessidade de

Solução (Figura 4.8). Basicamente, elas questionam o valor ou a utilidade de se resolver um problema. Eis alguns exemplos típicos:

É importante resolver este problema?

Por que você acha esta solução tão útil?

Há alguma outra forma de isso poder ajudá-lo?

Qual é a psicologia das Perguntas de Necessidade de Solução? Elas produzem dois efeitos:

- Focam a atenção do cliente na solução e não no problema. Isso ajuda a criar uma atmosfera positiva de solução de problemas em que a atenção é dada a soluções e ações, e não apenas a problemas e dificuldades.
- Fazem o cliente lhe dizer os benefícios. Por exemplo, uma Pergunta de Necessidade de solução como "De que forma você acha que uma máquina mais rápida o ajudaria?" poderia ter uma resposta como "Certamente ela eliminaria o gargalo na produção e usaria melhor o tempo do operador qualificado".

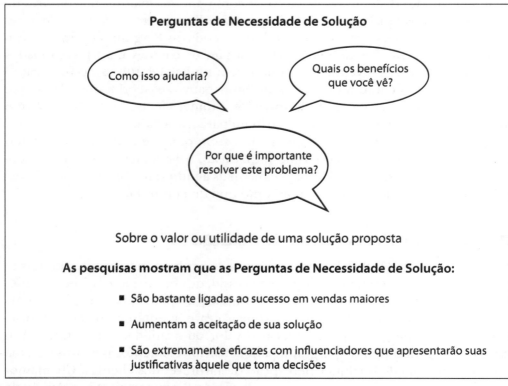

Figura 4.8. Perguntas de Necessidade de Solução.

Vejamos como esses objetivos são atingidos, examinando o extrato de uma visita de vendas realizada por um vendedor, cujo produto é um sistema de telefonia, e que utiliza Perguntas de Necessidade de Solução:

VENDEDOR: (*Pergunta de Necessidade de Solução*)... então você teria interesse em uma forma de controlar chamadas de longa distância?

COMPRADOR: Bem, sim, é claro... mas este é apenas um dos problemas que tenho no momento.

VENDEDOR: (*Pergunta de Necessidade de Solução*) Eu gostaria de considerar esses outros problemas daqui a um minuto. Contudo, primeiro, você diz que gostaria de controlar chamadas de longa distância. Por que isso é importante para você?

COMPRADOR: Agora mesmo estou recebendo muita pressão do controller para conter meus custos. Se eu conseguisse reduzir as tarifas de longa distância, certamente isso ajudaria.

VENDEDOR: (*Pergunta de Necessidade de Solução*) Ajudaria se você pudesse restringir chamadas de longa distância somente a pessoas autorizadas?

COMPRADOR: Sim... isso certamente evitaria o uso excessivo de chamadas de longa distância que estamos tendo. A maior parte vem do uso não autorizado de longa distância.

VENDEDOR: Podemos voltar às questões que você levantou sobre preparar relatórios de gerenciamento do sistema de telefonia? (*Pergunta de Necessidade de Solução*) Posso supor que você gostaria de ter um aprimoramento nisso também?

COMPRADOR: Sim, seria uma grande ajuda.

VENDEDOR: (*Pergunta de Necessidade de Solução*) Será que isso lhe daria um método melhor para contabilizar o custo com o uso de telefone?

COMPRADOR: Sim. Veja, se pudermos identificar departamentos que fazem chamadas, poderemos responsabilizá-los pelo pagamento delas.

VENDEDOR: (*Pergunta de Necessidade de Solução*) Entendo... há outra maneira de ajudar?

COMPRADOR: Humm... Não. Acho que responsabilizar as pessoas é o principal.

VENDEDOR: (*Pergunta de Necessidade de Solução*) Bem, sem dúvida isso é importante... mas acho que também pode ser importante saber quanto tempo se leva para responder a chamadas e o número total de chamadas que passam por cada extensão?

COMPRADOR: Isso poderia ser realmente útil.

VENDEDOR: (*Pergunta de Necessidade de Solução*) Útil por razões de custo, ou haveria mais alguma coisa?

COMPRADOR: Não eu não estava pensando em custos. Isso realmente nos ajuda no aprimoramento do atendimento ao cliente, e nesse negócio isto é importante! Pode nos ajudar nisso?

VENDEDOR: Sim, podemos. Vou-lhe explicar como nosso equipamento o ajudará a...

Nesse exemplo, as Perguntas de Necessidade de Solução conseguiram focar a atenção do cliente em soluções, e não em problemas. Ainda mais importante, o cliente começa a dar benefícios ao vendedor, dizendo coisas como "Isso realmente nos ajuda no aprimoramento do atendimento ao cliente". Não é de admirar que nossa pesquisa tenha constatado que as visitas com um alto número de Perguntas de Necessidade de Solução foram classificadas pelos clientes como:

- Positivas
- Construtivas
- Prestativas

As perguntas de Necessidade de Solução criam um efeito positivo. Esta é uma razão pela qual descobrimos que as Perguntas de Necessidade de Solução estão particularmente ligadas ao sucesso em vendas que dependem de manter um bom relacionamento — como vendas a clientes existentes.

Perguntas de Necessidade de Solução Reduzem Objeções

Em uma venda simples há normalmente uma relação direta entre o produto e o problema que ele resolve. É possível que uma solução atenda exatamente ao problema. Então, por exemplo, uma pessoa preocupada com riscos de incêndio de documentos importantes de sua empresa poderia ter um problema resolvido perfeitamente com a compra de um armário de arquivo à prova de fogo.

Mas à medida que a venda aumenta, a adequação entre o problema e a solução geralmente se torna menos direta. Problemas em vendas maiores podem ter várias partes, e a solução oferecida ao cliente lidará com algumas dessas partes melhor do que com outras. Um problema como baixa produtividade, por exemplo, pode ser causado por dezenas de fatores. Quando a solução é apresentada, corre-se o risco de o cliente focar nas áreas em que ela *não* resolve, e não naquelas que serão solucionadas. Quando isso acontece, o cliente pode desafiar toda a solução, como mostra este exemplo:

VENDEDOR: Então seu principal problema é uma alta taxa de rejeição ao material que usa para testes técnicos. Nosso material novo é tão fácil de usar que a taxa de rejeição de seus técnicos seria reduzida em aproximadamente 20%.

COMPRADOR: *(levantando objeção)* Calma. Não é apenas o material de teste que cria a taxa de rejeição. Há muitos outros fatores, como a temperatura do processador e a oxidação do fixador. Não. Não me venha com uma conversa sobre material fácil de usar.

O que aconteceu? O comprador levantou uma objeção porque a solução do vendedor lida apenas com uma faceta de um problema complicado. Ao fazer alegações sobre o produto, o vendedor levou o cliente a levantar algumas dessas outras facetas e a rejeitar o ponto que o vendedor está tentando defender.

Em vendas maiores, os problemas a resolver quase sempre serão formados por vários componentes e causas. Portanto, por ser muito improvável que você (ou qualquer outro concorrente) possa prover a solução perfeita que resolva todas as partes de um problema complexo, pode ser perigoso destacar como você é capaz de resolver bem o problema. Ao fazer isso, convida-se o cliente a questionar todas as outras partes impossíveis de resolver. Além disso, clientes exigentes raramente esperam que a solução seja perfeita. Em vez disso, eles querem saber se você pode resolver os elementos mais importantes de um problema a um custo razoável.

Logo, como fazer para que o cliente concorde que a solução é válida, embora possa não resolver todas as partes do problema? É quando se pode usar Perguntas de Necessidade de Solução. Se alguém conseguir fazer o cliente dizer de que maneiras a solução ajudará, então não estimulará objeções. Ninguém gosta que lhe digam o que é bom para seu departamento ou negócio — principalmente vindo de alguém de fora. Os clientes reagem de modo mais positivo se forem tratados como especialistas. Ao usar Perguntas de Necessidade de Solução, é possível fazer o cliente explicar quais os elementos do problema que a solução pode resolver. Esta abordagem reduz as objeções e torna a sua solução mais aceitável, como mostra o exemplo a seguir:

VENDEDOR: Então seu principal problema é uma alta taxa de rejeição ao material que você usa para testes técnicos. (Pergunta de Necessidade de Solução) e pelo que você disse, está interessado em qualquer coisa que possa reduzir a taxa de rejeição?

COMPRADOR: Ah, sim. É um grande problema e precisamos tomar providências.

VENDEDOR: *(Pergunta de Necessidade de Solução)* Suponha que eu tivesse um material mais fácil para seus técnicos usarem, isso ajudaria?

COMPRADOR: Seria um fator. Contudo, lembre-se de que há muitos outros, como a temperatura do processador e a oxidação do fixador.

VENDEDOR: Sim, entendo que há vários fatores, e como você diz, um material mais fácil é um deles. *(Pergunta de Necessidade de Solução)* Poderia explicar como ter um material mais fácil o ajudaria?
COMPRADOR: Bem, certamente ele reduziria as rejeições que estamos recebendo durante a fase de exposição.
VENDEDOR: *(Pergunta de Necessidade de Solução)* E isso valeria a pena?
COMPRADOR: Provavelmente. Não sei exatamente quanto se perde aí. Pode ser o suficiente para fazer alguma diferença.
VENDEDOR: *(Pergunta de Necessidade de Solução)* Há qualquer outra maneira de um material mais fácil ajudar?
COMPRADOR: Aqueles cassetes simples seus não precisam de um técnico experiente para serem montados. Talvez isso ajude. Sim... se tivéssemos um material que fosse tão fácil de lidar que até um assistente pudesse manusear, então o técnico poderia passar mais tempo nas fases de processamento, o que poderia ter um grande impacto em alguns dos problemas de processador que estamos obtendo. Nossa, isso me agrada.

Nesse exemplo, o fato de o vendedor ter feito Perguntas de Necessidade de Solução permitiu que o comprador explicasse a compensação e, como resultado, encontrasse uma solução mais aceitável.

Perguntas de Necessidade de Solução Treinam o Cliente para que Ele Venda Internamente

Em vendas menores o sucesso consiste em quanto se é capaz de convencer satisfatoriamente a pessoa a quem se está vendendo, mas nem sempre este é o caso em vendas maiores. À medida que o tamanho da decisão cresce, mais pessoas são envolvidas. O sucesso pode depender muitas vezes não apenas de como se vende, mas de como as pessoas na conta vendem umas às outras. Na venda grande há provavelmente muitas "visitas de vendas" quando os influenciadores e usuários vendem internamente em seu nome e quando não há oportunidade de se estar presente.

Um gerente de vendas muito experiente e bem-sucedido no setor de controle de processo certa vez foi solicitado a explicar em uma conferência da empresa como tinha conseguido vender um sistema de vários milhões de dólares a uma importante companhia de petróleo. Ele disse: "A coisa mais importante a lembrar sobre vendas realmente grandes é que você só executa uma pequena parte na venda. A verdadeira venda ocorre na conta quando você não está lá — quando as pessoas a quem você vendeu voltam e tentam convencer os outros. Tenho certeza de que consegui porque passei muito tempo tentando garantir que as pessoas com quem eu conversava soubessem como vender para mim. Eu agi como o diretor de uma peça. Trabalhei durante os ensaios: Eu não estava no palco durante a apresentação. Muitos em vendas querem ser excelentes atores. Meu conselho é que se você quer fazer vendas realmente grandes, precisa perceber que mesmo se tiver uma ótima interpretação, não estará no palco por mais de uma fração do tempo da venda. Se não dirigir o ensaio do resto do elenco, a apresentação será um fracasso".

A maioria das pessoas com experiência em vendas de contas grandes concordaria com essa análise. É óbvio que muito das vendas acontece quando você não está por perto; por isso, quanto melhor você preparar seus defensores internos, mais fácil será para eles convencer os outros na conta. O problema é: qual é a melhor maneira de "ensaiar" os clientes de modo que eles vendam eficazmente para você? Vejamos um exemplo de uma visita típica a um comprador que, se convencido, depois fará a "venda" interna:

> VENDEDOR:... e outra forma de o sistema ajudá-lo será na redução de níveis de estoque.
> COMPRADOR: Bom. Isso é algo que precisamos fazer. Conversarei com o vice-presidente financeiro amanhã e mencionarei isso a ele.
> VENDEDOR: Diga-lhe que temos etiquetagem automática de auditoria.
> COMPRADOR: Auditar o quê?
> VENDEDOR: É uma forma incrível de documentar e recuperar registros de estoque.
> COMPRADOR: Ah... está bom. Vou dizer isso a ele.
> VENDEDOR: Diga-lhe que reduzimos os custos de estoque na Snitch Ltda. em 12%.
> COMPRADOR: Por causa daquela coisa de auditoria automática?
> VENDEDOR: Sim. E controlando seus picos sazonais, poderíamos até ter um resultado melhor. Você o informará disso, não é?
> COMPRADOR: Humm... Amanhã poderá ser um dia ruim para ele... a reunião é sobre uma questão de uma propriedade na cidade. Verei o que posso fazer.

Mesmo que este comprador fale com o vice-presidente financeiro, em que medida essa venda será satisfatória? Talvez fracasse, porque parece óbvio que o comprador não entende do produto o suficiente para dar explicações sobre ele.

Esse entendimento insuficiente não é incomum. É difícil os vendedores adquirirem todo esse conhecimento técnico e de aplicações exigidos para vender um produto ou um serviço sofisticado. Não se pode esperar que o cliente entenda em uma hora algo que se levou meses para aprender.

Assim, se o cliente não compreender o produto bem o suficiente para vendê-lo de fato, o que você deveria fazer? Em um mundo ideal, é claro que o cliente deveria ser convencido a levar você a todas as reuniões. Contudo, na vida real isso é impraticável. O cliente pode relutar em perder o controle da situação ao lhe possibilitar o contato direto com pessoas na direção. Por outro lado, seria fisicamente impossível você estar presente em todas as conversas de "vendas" que acontecem dentro de uma conta. Em uma compra complexa, pode haver dezenas de conversas em que o produto é discutido entre pessoas diferentes da conta. Mesmo que o cliente o deixe participar, você possivelmente não encontraria tempo para estar presente em cada uma dessas discussões.

Então, não há como escapar do fato de que em vendas maiores, uma parte importante da venda — talvez a maior dela — será feita por nossos apoiadores internos enquanto não estamos presentes. Isso nos traz de volta à questão de como preparar melhor um cliente para vender em nosso nome, que é outra área onde as Perguntas de Necessidade de Solução têm um uso especial. No exemplo a seguir, o vendedor usa Perguntas de Necessidade de Solução de forma a ajudar o comprador a vender internamente depois de terminada a visita:

> VENDEDOR: ... e outra forma de o sistema ajudá-lo é na redução de níveis de estoque.
> COMPRADOR: Bom. Isso é algo que precisamos fazer. Conversarei com o vice-presidente financeiro amanhã e mencionarei isso a ele.
> VENDEDOR: *(Pergunta de Necessidade de Solução)* Você diz que é algo que precisa fazer. Que benefícios você teria com níveis mais baixos de estoque?
> COMFRADOR: Obviamente o principal deles é o custo.
> VENDEDOR: *(Pergunta de Necessidade de Solução)* O custo seria o benefício mais importante para seu vice-presidente financeiro?
> COMPRADOR: Sim. Bom... talvez não. Pensando bem, poderia ser outro mais urgente. Na reunião de amanhã analisaremos o armazenamento na cidade. Estamos usando um local caro, e nosso vice-presidente gostaria de fechá-lo e consolidar o estoque aqui. Contudo, não temos espaço suficiente para o armazenamento nesse local. Se o seu sistema pudesse reduzir os níveis de estoque nesse local em apenas 5%, então poderíamos fechar o edifício na cidade.
> VENDEDOR: *(Pergunta de Necessidade de Solução)* E isto representaria uma economia?
> COMPRADOR: Cerca de $250 mil por ano. Se você tem uma forma de nos ajudar nisso, tentarei obter 15 minutos com nosso vice-presidente antes da reunião.

Observe que nesse exemplo o vendedor usa Perguntas de Necessidade de Solução para fazer o comprador descrever os Benefícios. Ao fazer isso, o vendedor consegue várias coisas:

- A atenção do comprador agora está voltada ao modo como a solução ajudaria, e não em detalhes de produto como no exemplo anterior. Como foi dito, não se pode esperar que os compradores aprendam sobre o produto com profundidade suficiente para explicá-lo convincentemente aos outros. Contudo, pode-se esperar que os compradores tenham um entendimento de seus próprios problemas e necessidades. As Perguntas de Necessidade de Solução concentram-se na área que os compradores entendem melhor: o próprio negócio — e como isso seria ajudado pela solução que está sendo proposta. Quando os compradores conversam com outros na conta, será na área de necessidades, e não de produtos, que eles serão mais convincentes e contribuirão mais para o esforço de vendas.

- O comprador está explicando os benefícios ao vendedor, e não vice-versa. Se for possível fazer com que os compradores expliquem o valor da solução, é um bom ensaio para o momento em que eles vêm dar a mesma explicação às outras pessoas da conta. Fazer o comprador descrever os benefícios é um "ensaio" muito melhor do que se o comprador ouvir passivamente enquanto os mesmos benefícios lhe são descritos.

- Quando os compradores sentem que suas idéias fazem parte da solução, eles ganham mais confiança no produto e sentem entusiasmo por ele — as próprias qualidades necessárias para vender o produto para você quando você não está presente durante as discussões.

Em suma, as Perguntas de Necessidade de Solução são importantes porque focam a atenção em soluções, e não em problemas. E elas fazem os clientes dizerem os benefícios. As Perguntas de Necessidade de Solução são uma ferramenta particularmente poderosa na venda maior porque também aumentam a aceitabilidade da solução. Igualmente importante, o sucesso em vendas grandes depende da venda interna pelos clientes em seu nome, e as Perguntas de Necessidade de Solução são uma das melhores formas de o cliente ensaiar a apresentação de suas soluções de modo convincente.

A Diferença entre Perguntas de Implicação e Perguntas de Necessidade de Solução

As Perguntas de Implicação e de Necessidade de Solução desenvolvem Necessidades Implícitas em Explícitas, e uma vez que elas têm um propósito similar, é fácil confundi-las. Verifique se você sabe claramente a diferença entre elas, decidindo qual é qual neste breve extrato de uma visita de vendas:

Pergunta de Implicação ou de Necessidade de Solução?

1. VENDEDOR: A morosidade de seu sistema atual cria gargalos em outras áreas do processo? ☐
   COMPRADOR: Sim, especialmente na fase de preparação.
2. VENDEDOR: E a fase de preparação é uma área que você gostaria de acelerar? ☐
   COMPRADOR: Sim, estamos gastando muito tempo agora mesmo, na preparação.
3. VENDEDOR: Uma vez que preparação exige mão-de-obra intensiva, o tempo excessivo presumivelmente significa custos imensamente aumentados? ☐
   COMPRADOR: Infelizmente é verdade.
4. VENDEDOR: E que impacto isso tem em sua competitividade em um negócio de margem baixa como este? ☐
   COMPRADOR: Não ajuda.
5. VENDEDOR: Então o que você gostaria de ver seria a redução nos custos de preparação? ☐
   COMPRADOR: Certamente isso nos tornaria mais competitivos.
6. VENDEDOR: Isso lhe ajudaria de alguma outra maneira? ☐

As Perguntas de Implicação são os exemplos 1, 3 e 4. Os exemplos 2, 5 e 6 são Perguntas de Necessidade de Solução. Não se espante se descobriu que é difícil decidir qual é qual. Primeiro, até a equipe da Huthwaite teve dificuldade. Nos primeiros estágios de nossa pesquisa, freqüentemente nos deparávamos com exemplos de perguntas que não conseguíamos saber em que categoria encaixar. Escrevíamos esses exemplos em um grande quadro branco no escritório. De vez em quando nos reuníamos para discutir esses problemas difíceis de classificação — casos limítrofes é o termo técnico — para nos assegurarmos de termos o padrão necessário a esse tipo de pesquisa entre nós.

Durante uma dessas discussões, o filho de oito anos de um membro da equipe chegou ao escritório para buscar o pai. Estávamos no meio de uma discussão demorada sobre os exemplos no quadro, tentando chegar a um acordo em relação a quais seriam Perguntas de Implicação e quais seriam Perguntas de Necessidades de Solução. Esse garoto olhou para o quadro e disse: "Aquela, aquela e aquela são Perguntas de Implicação e todas as outras são de Necessidade de Solução". Ficamos espantados — chegaríamos à mesma conclusão, mas precisaríamos de meia hora para fazer isso.

"Como você consegue distinguir?", perguntamos.

"É fácil", ele disse. "As Perguntas de Implicação são sempre tristes. As de Necessidade de Solução são sempre alegres."

Ele tem razão, e desde então nós a chamamos de Regra de Quincy, em homenagem à descoberta de um garoto de oito anos. Em termos mais adultos, as Perguntas de Implicação são centradas em problemas — elas tornam o problema mais sério — e é por isso que são "tristes". As Perguntas de Necessidade de Solução, em contraste, são centradas em solução (Figura 4.9.). Elas perguntam sobre a utilidade ou o valor de resolver um problema, e é por isso que parecem "alegres".

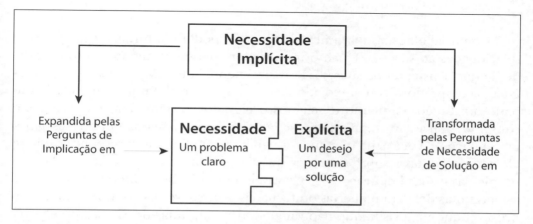

Figura 4.9. As Perguntas de Implicação são centradas em problemas. As Perguntas de Necessidade de Solução são centradas em soluções.

A gerência sênior de nossos principais clientes poderia ter a impressão errada se soubessem que ensinaríamos suas equipes de vendas primeiro a fazer as perguntas tristes e, então, perguntas alegres — principalmente se soubessem que uma criança de oito anos sugeriu a distinção. Em conseqüência, nunca tornamos pública a regra de Quincy. Acho que ninguém vai discordar que as Perguntas de Implicação (exemplos 1, 3 e 4) são mais tristes que as outras.

De Volta a Perguntas Abertas e Fechadas

Quase no final do Capítulo 1, na seção "Perguntas e Sucesso", descrevi a constatação da equipe da Huthwaite de que o modelo tradicional de perguntas abertas e fechadas não está relacionado à eficácia em vendas maiores. Tenho certeza de que muitos leitores, ao serem expostos a uma distinção sensata e segura entre perguntas abertas e fechadas, devem ter achado difícil acreditar em nossas discussões. Agora posso lhe contar uma história que ilustra por que a velha distinção entre perguntas abertas e fechadas é menos útil do que parece.

Eu estava realizando um estudo de treinamento em gerenciamento de vendas em uma grande empresa de alta tecnologia. Como parte desse estudo, viajei com vendedores e observei como eles colocavam em prática as lições do treinamento. Um dia, viajei com uma vendedora entusiasmada, mas inexperiente. Durante a visita registrei quantas vezes ela usou diferentes tipos de perguntas **SPIN**. Meus resultados, de nossa primeira visita juntos, foram:

Perguntas de Situação	35
Perguntas de Problema	0
Perguntas de Implicação	0
Perguntas de Necessidade de Solução	0

Como sabemos, as Perguntas de Situação podem se tornar negativamente relacionadas ao sucesso. Quanto mais alguém pergunta, menor a probabilidade de que a visita tenha sucesso. Previsivelmente, à medida que a visita prosseguia, o comprador ficou entediado, depois, impaciente, e finalmente nos pediu para sair. Então, enquanto descíamos o elevador, a vendedora me pediu um conselho. "Eu estava tentando fazer mais perguntas abertas durante esta visita", explicou. "Você acha que eu consegui?" Eu fui forçado a responder que se ela não perguntasse sobre uma área que tivesse impacto no cliente — tal como problemas e suas implicações — provavelmente não faria diferença alguma se as perguntas dela eram abertas ou fechadas. A triste verdade é que é muito improvável que uma visita que não vai além das Perguntas de Situação tenha sucesso. Imagino que há dezenas de milhares de vendedores como ela, lutando bravamente para entender distinções improdutivas entre perguntas abertas e fechadas. Se pelo menos ela, e todos os outros, entendessem que o poder de uma pergunta está em se ela é sobre uma área psicologicamente importante para o cliente — e não se ela é aberta ou fechada.

O Modelo SPIN

Fazer perguntas que são importantes para o cliente é o que torna o modelo **SPIN** tão poderoso. Sua seqüência de questionamento toca diretamente a psicologia do processo de compra. Como vimos, as necessidades dos compradores se movem através de um progresso claro das Implícitas até as Explícitas. As perguntas **SPIN** fornecem um mapa para o vendedor, orientando a visita pelas etapas do desenvolvimento da necessidade até que Necessidades Explícitas tenham sido alcançadas (veja a Figura 4.10). E quanto mais Necessidades Explícitas for possível obter de compradores, mais provável será o sucesso da visita.

Vamos analisar brevemente todo o Modelo **SPIN** e fazer algumas observações sobre seu uso. Mais importante, o **SPIN** não deve ser visto como uma

A Estratégia **SPIN**

fórmula rígida. Não é. Vender por uma fórmula fixa é uma receita certa para o fracasso em vendas grandes. Em vez disso, o modelo deve ser visto como uma descrição ampla de como os vendedores bem-sucedidos fazem a sondagem. Ele deve ser tratado como uma diretriz, e não como uma fórmula.

Em suma, nossa pesquisa sobre habilidades de questionamento mostra que vendedores bem-sucedidos usam a seguinte seqüência:

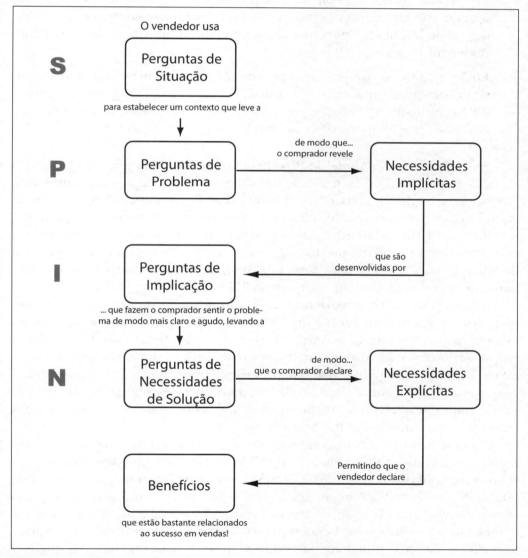

Figura 4.10. O Modelo **SPIN**.

1. Inicialmente, eles fazem Perguntas de Situação para estabelecer dados antecedentes. Entretanto não fazem tantas, porque as Perguntas de Situação podem aborrecer ou irritar o comprador.

2. Em seguida, eles passam rapidamente às Perguntas de Problema para explorar problemas, dificuldades e insatisfações. Ao fazer Perguntas de Problemas, eles descobrem as Necessidades Implícitas dos clientes.

3. Em vendas menores pode ser adequado oferecer soluções neste ponto, mas em vendas maiores bem-sucedidas o vendedor se contém e faz as Perguntas de Implicação para que as Necessidades Implícitas se tornem maiores e mais urgentes.

4. Então, quando o comprador concorda que o problema é suficientemente sério para justificar a ação, os vendedores bem-sucedidos fazem Perguntas de Necessidade de Solução para encorajar o comprador a se concentrar em soluções e para descrever os benefícios que a solução traria.

Em suma, este é o Modelo **SPIN**. Evidentemente, nem sempre ele funciona nesta seqüência. Por exemplo, se um cliente começa uma visita dando uma Necessidade Explícita, seria possível ir direto às Perguntas de Necessidade de Solução para que o comprador converse sobre como os benefícios a serem oferecidos o ajudariam a atender a essa necessidade. Ou às vezes, quando se está explorando um problema ou suas implicações, pode-se ter de fazer Perguntas de Situação para se obter mais base. Contudo, na maioria das visitas, o questionamento segue naturalmente a seqüência **SPIN**.

Muitos vendedores experientes, ao conhecerem as quatro perguntas simples, dizem: "Eu poderia ter lhe dito isso sem precisar de uma pesquisa tão detalhada. Isso é bom senso, é óbvio". É claro que eles têm razão. Descobrimos este modelo observando milhares de pessoas bem-sucedidas vendendo. Logo, não é de surpreender que o modelo pareça óbvio a pessoas bem-sucedidas. Não gosto de descrever o Modelo **SPIN** como uma descoberta revolucionária sobre como vender. É muito melhor pensar nele como a maneira como pessoas bem-sucedidas vendem em um bom dia de visita.

Vou lhe pedir para pensar em uma de suas visitas de maior sucesso. Ela não seguiu, em termos gerais, o Modelo **SPIN**? Você não começou descobrindo algo sobre a situação do cliente? Então, presume-se que tenha começado com as Perguntas de Situação. Você logo passou para a discussão de um problema que o cliente tinha. Como fez isso? Fazendo Perguntas de Problema. Então, se você pensar em suas visitas mais bem-sucedidas, poderá se lembrar de que enquanto o cliente falava, o problema parecia ficar maior e mais urgente. Por que isso aconteceu? Presumivelmente porque você estava desenvolvendo o problema com Perguntas de Implicação. Finalmente, em suas melhores visitas, você estava dizendo os benefícios ao cliente? Ou o cliente estava ficando animado e lhe dizendo coisas como: "Outra forma de você me ajudar seria..."? Na maioria de minhas vendas bem-sucedidas foi o cliente quem mencionou os Benefícios. E como isto aconteceu? Usei Perguntas de Necessidade de Solução — e estou certo de que é exatamente isso que você tem feito em suas visitas bem-sucedidas.

Logo, é provável que você esteja usando o Modelo **SPIN** em suas vendas mais eficazes. O **SPIN** não é novo nem inesperado. Sua força vem de se fazer uma descrição simples e precisa a um processo complexo. Em conseqüência, ele o ajuda a ver o que está fazendo bem e o ajuda a identificar áreas em que você precisa de mais prática.

Como Usar as Perguntas SPIN

Para fazer bem as perguntas **SPIN**, é preciso primeiro reconhecer que o papel em uma visita de vendas é o de resolver problemas. Os problemas do cliente, ou Necessidades Implícitas, são o cerne de toda venda. Com o passar do tempo, ajudei minhas vendas imensamente, reconhecendo com clareza esse fato simples. Antes de ir a uma visita, eu me pergunto: "Que problemas posso resolver para este cliente?". Quanto maior a clareza que eu tiver sobre os problemas que posso resolver, mais fácil será fazer perguntas eficazes durante a discussão.

Aqui está uma técnica simples para ajudá-lo a planejar sua estratégia de visita e as perguntas:

- Antes da visita, anote pelo menos três problemas potenciais que o comprador pode ter e quais os produtos ou serviços que podem ser resolvidos.
- Então anote alguns exemplos de *Perguntas de Problemas* reais que você faria para descobrir cada um dos problemas potenciais que identificou.

Não sou o único a achar útil fazer uma lista de áreas-problema antes de cada visita. Um vendedor experiente de uma divisão da Kodak me escreveu: "Vendo há mais de vinte anos, e quando você sugeriu que se fizesse uma lista das áreas-problema antes de cada visita, achei a idéia tão simples que não valeria o esforço. Contudo, experimentei fazer isso e é uma maneira comprovadamente útil para clarear minhas idéias e passar rapidamente pelos estágios iniciais da venda." Muitos outros consideraram essa sugestão simples bastante útil. Experimente. Dessa forma, você descobrirá as Necessidades Implícitas com mais rapidez, e isso também ajudará a não gastar tanto tempo fazendo Perguntas de Situação desnecessárias.

A maioria dos vendedores acha as Perguntas de Implicação mais difíceis de fazer que as Perguntas de Situação ou de Problema. Na média das visitas de vendas que estudamos, apenas uma entre vinte perguntas feitas era de Implicação.

Parece que, apesar de as Perguntas de Implicação serem poderosas, as pessoas têm dificuldade de usá-las. No entanto, há boas evidências (veja o Apêndice A se duvidar) de que ao fazer mais Perguntas de Implicação, as visitas serão mais bem-sucedidas. Que conselho prático podemos oferecer para ajudá-lo a usar Perguntas de Implicação com mais freqüência e de forma mais eficaz? Pela nossa experiência, a principal razão para que as pessoas façam tão poucas dessas perguntas importantes é que elas não as planejam antecipadamente. Veja uma maneira simples de ajudá-lo a planejar Perguntas de Implicação.

Como Planejar Perguntas de Implicação

1. Escreva um problema potencial que o cliente possa ter.
2. Então pergunte-se a que dificuldades relacionadas esse problema poderia levar, e anote-as. Pense nessas dificuldades como as implicações do problema — e fique alerta especificamente a essas implicações que revelam o problema como mais grave do que poderia parecer originalmente.

   Como mostra a Figura 4.11, por exemplo, um vendedor que planeja uma visita identificou que "A máquina existente é difícil de usar", como um problema potencial e então pensou em quatro dificuldades relacionadas, uma das quais é que pode haver falta de pessoal qualificado para operar a máquina.

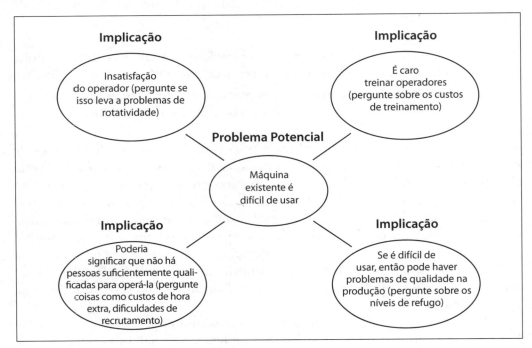

Figura 4.11. Planejando Perguntas de Implicação.

3. Para cada dificuldade, anote as perguntas que esta sugere. Por exemplo, na Figura 4.11 o vendedor notou que a falta de pessoas qualificadas sugere Perguntas de Implicação sobre custos de hora extra e dificuldades de recrutamento.

Este é um método muito simples, mas funciona. Mesmo as pessoas mais inteligentes que estudei acham difícil fazer Perguntas de Implicação a não ser que as tenham planejado antecipadamente. Se você usa nosso método simples ou um mais bem elaborado de sua autoria, o princípio básico é o mesmo. Boas perguntas não aparecerão em sua mente enquanto você está conversando com um cliente. Se não planejar suas perguntas com antecedência, você não pensará nelas durante a visita.

Sendo Eficaz ao Usar Perguntas de Necessidade de Solução

As Perguntas de Necessidade de Solução são tão simples e poderosas que você esperaria que elas fossem parte de toda visita de vendas. Nenhum outro tipo de pergunta tem um efeito positivo tão consistente no cliente. Em conseqüência, ainda me causa surpresa que em quase a metade das visitas que estudamos os vendedores não usavam qualquer Pergunta de Necessidade de Solução. Parece que, como acontece com as Perguntas de Implicação, as pessoas as consideram difíceis de fazer. Ainda pior, quando o vendedor mediano usa uma Pergunta de Necessidade de Solução, freqüentemente é no momento errado da visita. Então, vamos primeiro examinar quando não fazer Perguntas de Necessidade de Solução e então como aumentar nossas habilidades em fazê-las no momento certo da visita.

Evite Perguntas de Necessidade de Solução no Início da Visita. Algumas pessoas cometem o erro de usar Perguntas de Necessidade de Solução cedo demais, antes de identificarem os problemas do cliente. Paul Landauer do Laboratório Abbott conta a história de observar um de seus vendedores abrir a visita com a Pergunta de Necessidade de Solução: "Sr. Cliente, se eu pudesse lhe mostrar algo interessante, o senhor ficaria interessado?" Em uma forma menos bizarra, as visitas são abertas com freqüência com perguntas como "Se eu pudesse lhe mostrar uma maneira de aumentar a produtividade aqui, você colocaria minha empresa em sua lista de licitação?" ou "Estaria interessado em uma maneira mais rápida de processar suas contas?" Estas são Perguntas de Necessidade de Solução, as quais, feitas tão cedo, provavelmente coloquem o cliente na defensiva e, portanto, sejam ineficazes. Os melhores vendedores que estudamos primeiro constroem as necessidades antes de fazerem Perguntas de Necessidade de Solução. Eu o aconselharia a fazer a mesma coisa.

Evite Perguntas de Necessidade de Solução Quando Você Não Tem Respostas. Infelizmente, a única vez que vendedores menos eficientes infalivelmente farão perguntas de Necessidade de Solução é no pior momento possível da visita. Veja este exemplo:

CLIENTE: *(Necessidade Explícita)* Preciso ter uma máquina que faça cópias dos dois lados.
VENDEDOR: *(cuja máquina não faz cópias dos dois lados)* Por que você precisa de cópias frente e verso?
CLIENTE: *(explicando a necessidade)* Porque isso reduzirá o custo de papel. E também, se eu mandar cópias frente e verso por correio, o peso será menor, reduzindo os custos de postagem. Há outra vantagem em cópias frente e verso: significa que não precisamos de tanto espaço para arquivar — e isso é realmente importante aqui.

O vendedor fez uma Pergunta de Necessidade de Solução: "Por que você precisa de cópias frente e verso?" Seria uma pergunta excelente se o vendedor fosse capaz de atender à necessidade, porque encoraja o cliente a explicar os benefícios da cópia frente e verso. Contudo, para este vendedor, que só pode oferecer cópia de um lado só, é a pior pergunta possível a fazer. Como resultado da Pergunta de Necessidade de Solução, a necessidade do cliente aumenta — e o vendedor não pode atendê-la.

A maioria de nós cai nessa armadilha de vez em quando. Fazemos Perguntas de Necessidade de Solução para as necessidades que não podemos atender e não para aquelas que podemos. Tenho certeza de que você fez a pergunta óbvia — "Por que você quer fazer isso?" — quando um de seus clientes solicitou uma capacidade que você não oferece. O cliente então responde à sua pergunta lhe dizendo por que a capacidade é importante e, ao fazer isso, fortalece a necessidade disso.

O pior ponto para fazer a Pergunta de Necessidade de Solução é quando o cliente levanta uma necessidade que você não pode atender. No entanto, ironicamente, é quando a maioria das pessoas parece mais inclinada a fazer uma Pergunta de Necessidade de Solução. Se a vendedora no exemplo acima tivesse uma máquina que oferecesse cópias frente e verso, você acha que ela teria feito a Pergunta de Necessidade de Solução? Provavelmente não. Em nossos estudos descobrimos que quando os clientes levantavam necessidades que o vendedor podia atender, muito provavelmente a reação do vendedor não era fazer Perguntas de Necessidade de Solução, e sim começar a falar sobre soluções.

Praticando Perguntas Eficazes de Necessidade de Solução. As Perguntas de Implicação exigem planejamento cuidadoso. Você não pode aprimorar suas habilidades com elas a não ser que esteja preparado para investir muita paciência e esforço. Ao mesmo tempo, vimos pessoas aumentarem acentuadamente suas habilidades com Perguntas de Necessidade de Solução apenas ao consolidarem a idéia com alguns exercícios práticos e objetivos. Veja um exemplo de um exercício simples que o ajudará a praticar Perguntas de Necessidade de Solução:

1. Peça a um amigo ou colega para ajudá-lo. A pessoa que você escolher não precisa saber nada sobre vendas. Meu filho tem sido minha "vítima" para este exercício.

2. Escolha um assunto sobre uma necessidade que você acredite que a outra pessoa tenha. Você poderia, por exemplo, escolher falar sobre um carro novo, férias, uma mudança de emprego ou — como é o caso de meu filho — uma filmadora digital.

3. Faça Perguntas de Necessidade de Solução para que a outra pessoa fale sobre os benefícios do assunto em discussão. Em meu caso, por exemplo, fiz perguntas a meu filho como estas:

- Por que você acha que seria bom ter uma câmera de vídeo?
- O que isso nos permitiria fazer que não podemos fazer agora?
- Alguém mais na família ficaria satisfeito se comprássemos uma câmera?
- Você acha que teria vantagens de custo comparada a uma Super 8?

Quando você tenta esse exercício, note duas coisas:

1. Como na vida real, ele desperta o entusiasmo notável em seu "cliente". Uma vendedora de contas-chave da Xerox certa vez me disse que experimentou o exercício com um amigo, usando um carro novo como assunto. Uma semana depois ela realmente *comprou* um carro novo, explicando a ele: "Suas perguntas realmente me convenceram". O poder das Perguntas de Necessidade de Solução é freqüentemente visível nesses exemplos práticos. Fique atento a eles.

2. Ao contrário das Perguntas de Implicação, que tendem a ser específicas a um determinado problema do cliente, as Perguntas de Necessidade de Solução têm uma ampla generalidade. Muitas das perguntas que você usará nesse exercício prático são as mesmas que você pode usar em visitas reais. Há muitas Perguntas de Necessidade de Solução como estas:

- Por que isto é tão importante?
- Como isso ajudaria?
- Seria útil se...?
- Há qualquer outra maneira de ajudá-lo?

Pratique-as primeiro em situações seguras como este exercício. Então as experimente em visitas reais. Acho que você ficará surpreso com a eficácia delas.

5
Oferecendo Benefícios em Vendas Grandes

Vimos no Capítulo 4 como o Modelo **SPIN** fornece um esquema sólido de sondagem para o estágio da Investigação da visita. Neste capítulo, quero mostrar o que a pesquisa da Huthwaite descobriu sobre o estágio de Demonstração de Capacidade (Figura 5.1).

Figura 5.1. Estágio de Demonstração da Capacidade: Oferecer suas soluções e capacidades ao cliente.

Características e Benefícios: As Formas Clássicas de Demonstrar Capacidade

O treinamento e os livros de vendas têm dado muita atenção a métodos para Demonstração de Capacidade. Desde 1920, admite-se que algumas formas de apresentar soluções para os clientes são mais persuasivas que outras. Provavelmente, qualquer pessoa que tenha passado por um programa de treinamento em vendas nos últimos oitenta anos deve ter aprendido os termos *Características* e *Benefícios* como duas maneiras utilizadas para se descrever os seus produtos ou serviços. Todos nós estamos tão familiarizados com o conceito que raramente parece necessário explicar que Características constituiem dados sobre um produto e são pouco convincentes, e os Benefícios, que mostram como as características podem ajudar os clientes, são uma forma muito mais poderosa de descrever as suas capacidades. Se existe uma área de vendas na qual esperaríamos que a nossa pesquisa apenas confirmasse a sabedoria convencional, seria esta: Características e Benefícios.

Contudo tivemos algumas surpresas. Os Benefícios, da forma como provavelmente lhe ensinaram a usar, são ineficazes em vendas grandes e é provável que gerem uma resposta negativa do cliente, e até algo tão simples como definir um Benefício é muito mais difícil do que parece. Antes de examinar nossas conclusões, vamos começar revendo algumas noções básicas.

Características

Todos sabem o que são Características. Elas são fatos, dados ou informações sobre um produto ou serviço. Exemplos típicos de características incluem: "Esse sistema tem 512k de armazenamento em buffer", "Existem quatro estágios de controle de exposição" e "Os nossos consultores têm formação em psicologia educacional". As Características, como os autores têm observado desde 1920, são pouco convincentes. Por fornecerem fatos neutros, elas não ajudam muito nas apresentações de venda. Por outro lado, o consenso dos escritores é o de que elas também não prejudicam.

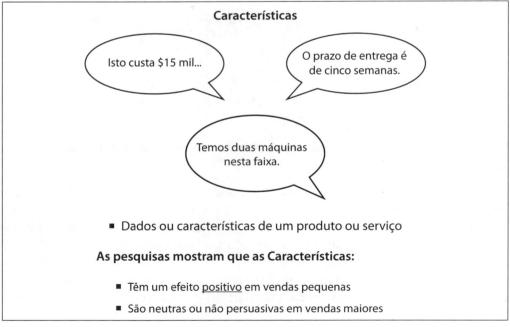

Figura 5.2. Características.

O que a nossa pesquisa mostra? Através da análise do número de características utilizadas em 18 mil visitas de vendas, descobrimos o seguinte – Figura (5.2):

- Em média, o nível de características é um pouco maior em visitas sem sucesso (as quais, lembremos, são as que levam a Continuações ou a Recusas). Mas essa diferença é pequena o suficiente para concluirmos que a sabedoria convencional está certa — as características são neutras. Elas não ajudam a visita, mas também não a prejudicam.
- Nas vendas pequenas existe um relacionamento levemente *positivo* entre o uso das características e o sucesso da visita; portanto, as visitas que tratam um pouco mais de características têm maior probabilidade de resultar em Pedidos ou Avanços. Essa relação não é verdadeira em vendas maiores.
- Em vendas maiores, as Características têm um efeito *negativo* quando usadas no início da visita e um efeito neutro quando usadas mais adiante.
- Os usuários respondem de maneira mais positiva às Características do que os tomadores de decisão.
- Ao longo de ciclos de vendas de produtos técnicos muito complexos, os clientes algumas vezes desenvolvem um "apetite por Características". Quando isso acontece, o cliente demanda muitos detalhes do produto e pode responder positivamente às Características. É nesse estágio do ciclo de vendas que especialistas técnicos, analistas de sistemas e outros funcionários de suporte a vendas freqüentemente têm um impacto positivo sobre o cliente.

Nós também descobrimos algumas relações curiosas entre o uso das Características e o tipo de resposta dos clientes, que exploraremos mais no próximo capítulo. Mas, de modo geral, nosso trabalho sobre as Características confirmou o que os escritores dizem há cinqüenta anos. Características são declarações de baixo impacto que pouco ajudam a venda. É melhor utilizar Benefícios do que Características.

O que é um Benefício?

Os nossos problemas se iniciaram quando começamos a investigar os Benefícios. Enquanto todos concordam com a definição de características, dois autores de livros de vendas não parecem ter a mesma definição de um Benefício. Aqui estão algumas das várias definições que encontramos, durante um mês terrível que passamos lendo todos os livros de vendas e programas de treinamento que pudemos encontrar:

Um *Benefício* mostra como uma Característica pode ajudar um cliente.

Um *Benefício* deve trazer uma economia de custo para o comprador.

Um *Benefício* é qualquer afirmação que atenda a uma necessidade.

Um *Benefício* tem que apelar para as necessidades do ego pessoal do comprador e não para necessidades organizacionais ou departamentais.

Um *Benefício* deve ser algo que você possa oferecer e seus competidores não.

Um *Benefício* dá um motivo para comprar.

Existem mais. Algumas definições enfatizam aspectos financeiros e outras se concentram no apelo pessoal. Outras aceitam qualquer elaboração de uma Característica, como explicar de que forma ela pode ser utilizada. A minha favorita era a de um gerente de vendas de Honeywell que me disse: "Um Benefício é qualquer coisa que você diz a um cliente que seja mais inteligente do que uma Característica".

Qual definição está correta? Como podemos apontar qual dessas definições é melhor do que as outras? Existe apenas um teste válido: A melhor dessas definições rivais é aquela que tem o impacto mais positivo nos clientes. Desses tipos de Benefícios há algum que ocorre com mais freqüência do que outros em visitas bem-sucedidas? A nossa equipe de pesquisa se organizou para testar isso observando visitas de vendas que foram bem-sucedidas e contando com que freqüência os diferentes tipos de Benefícios eram utilizados nas visitas bem-sucedidas e nas visitas que fracassaram. Depois desse teste inicial de meia dúzia de definições diferentes, escolhemos duas para o nosso teste de pesquisa mais importante:

- *Benefício Tipo A:* Esse tipo mostra como um produto ou serviço pode ser usado ou pode ajudar o cliente.
- *Benefício Tipo B:* Esse tipo mostra como um produto ou serviço atende a Necessidades Explícitas expressadas pelos clientes.

Nós escolhemos a definição Tipo A por que era a mais utilizada nos programas de treinamento de vendas. A maioria dos leitores deste livro aprendeu a usar o Benefício Tipo A. Em contrapartida, o Benefício Tipo B era a nossa definição pessoal. Nós a escolhemos depois de ter observado centenas de vendedores eficientes em vendas grandes e analisado os tipos de afirmações sobre produtos feitas por eles a seus clientes.

À primeira vista, essas duas definições de Benefício parecem muito similares. No entanto, o seu efeito sobre os clientes é acentuadamente diferente, então vale a pena analisar como elas divergem. Por exemplo, suponha que eu esteja lhe vendendo um programa de computador e diga: "Eu presumo que você queira um programa de 32 bits, como o da nossa máquina Suprox, porque se você precisar fazer gráficos, ela será significativamente mais rápida". Fiz uma declaração Tipo A ou Tipo B? Ela não pode ser Tipo B, pois *supus* que você queira gráficos mais rápidos; você não expressou realmente uma necessidade por gráficos, muito menos pelos mais rápidos.

Veja outro exemplo. Você me diz que o seu computador atual tem um problema de confiabilidade. Eu respondo: "Por utilizar uma nova geração de componentes de alta confiabilidade, o nosso computador Suprox pode solucionar o seu problema atual de confiabilidade". Que tipo de declaração é essa? Dessa vez você certamente expressou uma necessidade. Você me disse que a sua máquina atual não é confiável. Contudo, expressou uma *Necessidade Explícita*? Não; dizer que seu computador atual tem um problema de confiabilidade é uma Necessidade Implícita (um problema, uma dificuldade ou uma insatisfação). Assim, a minha declaração vem ao encontro de uma necessidade Implícita, e não de uma Necessidade Explícita. Mais uma vez, deveríamos classificar isso como Benefício Tipo A e não Tipo B.

Qual é a importância dessa diferença? Em nosso teste de pesquisa descobrimos que o Benefício Tipo A está fortemente relacionado ao sucesso em vendas pequenas, mas tem fraca relação com o sucesso em vendas grandes. (Nós veremos o porquê mais adiante neste capítulo.) Em contraste, o Benefício Tipo B está fortemente relacionado ao sucesso em vendas grandes ou pequenas.

Eu não sei sua opinião, mas pessoalmente acho difícil de lembrar qual é qual, quando alguma coisa é rotulada de A ou B. Eu não sou o único que acha confuso se referir aos Benefícios Tipo A ou Tipo B, por isso nós logo decidimos que seria melhor evitar dificuldades futuras adotando nomes mais descritivos no lugar de A e B. *"Nós chamamos o Benefício Tipo A de 'Vantagem'. E para o Benefício Tipo B, por ser tão fortemente relacionado ao sucesso, mantivemos o nome Benefício".*

Desta forma, o que surgiu da nossa pesquisa são três tipos de afirmações (ou comportamentos) que podem ser utilizadas para demonstrar a capacidade, como ilustrado na Figura 5.3. É importante lembrar que se alguém passou por um treinamento de vendas nos últimos 20 anos, provavelmente aprendeu a usar muitos Benefícios Tipo A — ou Vantagens. Mas como se pode ver nas Figuras 5.3 e 5.4, as Vantagens têm mais impacto em vendas mais simples do que em vendas grandes, que são o assunto deste livro.

120	Capítulo 5

Talvez alguém confunda a definição de Benefício mencionada aqui com as definições que aprendeu antes. Muitos vendedores com quem trabalhei não gostam de discutir definições e eu não os culpo. Porém, nesse caso, as definições são de importância vital. Por exemplo, o estudo de produtividade da Motorola no Canadá, descrito no Apêndice A, mostra que os vendedores que usaram Benefícios em vez de Vantagens aumentaram em 27% o volume de vendas em dólar. Isso não é pouco. Quando a definição deriva da escolha das afirmações que têm o maior impacto sobre os clientes, então nós não estamos apenas brincando com palavras. Uma vez que as diferenças entre Características, Vantagens e Benefícios são tão importantes, eu gostaria de lhe dar uma chance de testar a sua compreensão, efetuando o teste abaixo. Veja se você consegue escolher quais das dez descrições de produtos apresentam Características, Vantagens ou Benefícios. Depois confira suas respostas com as dadas no final deste capítulo.

Comportamento	Definição	Impacto Em vendas pequenas	Impacto Em vendas grandes
Características	Descreve fatos, dados, características do produto	Ligeiramente positivo	Neutro ou ligeiramente negativo
Vantagens (Benefício Tipo A)	Demonstra como os produtos, os serviços ou as suas características podem ser usados ou podem ajudar o cliente	Positivo	Ligeiramente positivo
Benefícios (Benefícios Tipo B)	Demonstra como produtos ou serviços atendem a Necessidades Explícitas expressas pelo cliente	Muito positivo	Muito positivo

Figura 5.3. Características, Vantagens e Benefícios.

Oferecendo Benefícios em Vendas Grandes   **121**

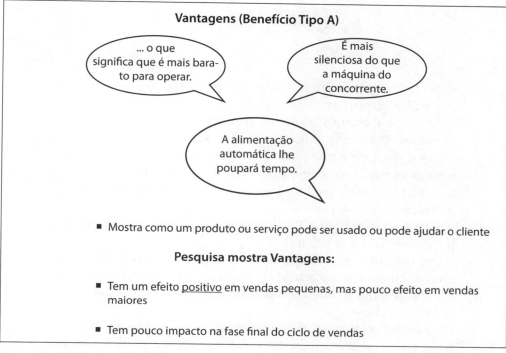

Figura 5.4. Vantagens (Benefício Tipo A).

Tipos de Afirmações de Produtos

Isso é uma Característica, uma Vantagem ou um Benefício?

1. VENDEDOR: E uma outra coisa sobre o sistema é que ele tem estabilizador de voltagem. ☐
   COMPRADOR: E o que isso faz?
2. VENDEDOR: Ele o protege de picos de energia elétrica; assim, você não perderá informações valiosas, se houver flutuação de voltagem. ☐
   COMPRADOR: Isso não é necessário aqui. Este prédio é equipado para uso científico, por isso existe um sistema de proteção de voltagem instalado.
3. VENDEDOR: Mas eu tenho certeza de que você achará a memória backup útil. Isso quer dizer que, caso haja um erro operacional e seus arquivos principais sejam apagados, você sempre ☐

*Isso é uma
Característica,
uma Vantagem
ou um Benefício?*

terá backup automático – assim nunca correrá o risco de perder dados importantes.
COMPRADOR: E quanto custa essa configuração?
4. VENDEDOR: O sistema básico custa $78 mil. ☐
COMPRADOR: E ele é compatível com o nossa leitora óptica?
5. VENDEDOR: Sim, você conseguirá ler os seus dados atuais sem nenhuma conversão, então, se você quiser ler diretamente na memória, poderá fazer isso. ☐
COMPRADOR: Isso é bom. E sobre as margens de erro? Eu preciso ter menos de 1 em 100 mil.
6. VENDEDOR: Então você ficará satisfeito em ouvir que o sistema tem uma das menores margens de erro do mercado – menos de 1 em 1,5 milhão – que é muito compatível com as suas necessidades. ☐
COMPRADOR: Bom.
7. VENDEDOR: E, por causa da baixa margem de erro, você também pode usar o sistema para executar novamente e validar dados das suas outras fontes de processamento – além de economizar o custo de um processo de validação separado. ☐
COMPRADOR: Eu não tenho muita certeza disso. Nós temos outras questões de segurança sobre validação de dados, o que significa que não seria permitido usar dados das nossas outras fontes.
8. VENDEDOR: Em matéria de segurança, esse sistema tem oito níveis possíveis de codificação incorporados. ☐
COMPRADOR: Eles são definidos pelo usuário?
9. VENDEDOR: Em cinco níveis. Os outros três são randomizados ou com base no tempo. ☐
COMPRADOR: Com base no tempo?
10. VENDEDOR: Sim. Veja que a grande vantagem de um sistema baseado no tempo, para uma organização como a sua, é que você pode colocar simultânea e automaticamente códigos entre as unidades operacionais – o que significa que os seus operadores não precisam memorizar códigos novos e, ainda assim, é quase impossível de serem invadidos por hackers. ☐

Agora que você está familiarizado com a forma especial com que nós utilizamos os termos *Vantagens* e *Benefícios*, vamos analisar as evidências de pesquisa com mais detalhes.

Os Impactos Relativos a Características, Vantagens e Benefícios

Eu disse que as Vantagens, afirmações que mostram como um produto pode ser utilizado ou pode ajudar o cliente, têm muito mais impacto em uma venda pequena do que em uma grande. Por quê? Parece estranho que o impacto seja muito menor em uma venda grande. A resposta mais provável retoma os aspectos levantados por mim sobre vendas simples no Capítulo 4. Lembremos de que nós mostramos como que poderia ser muito bem-sucedido em vendas pequenas usando Perguntas de Situação e de Problema para descobrir Necessidades Implícitas e depois oferecer soluções.

Quais seriam essas soluções em termos de Características, Vantagens e Benefícios? Elas não podem ser Benefícios porque, como vimos, uma pessoa só pode oferecer um Benefício se abordar uma Necessidade Explícita expressa pelo cliente. Nesse caso, as soluções são oferecidas a Necessidades Implícitas, por isso elas também devem ser Características ou Vantagens. Nós vimos que oferecer soluções a Necessidades Implícitas não é eficaz em vendas maiores. Dessa forma, esse uso de Características e Vantagens, que pode funcionar perfeitamente bem em uma venda pequena, provavelmente se torne ineficiente conforme a venda aumenta (Figura 5.5).

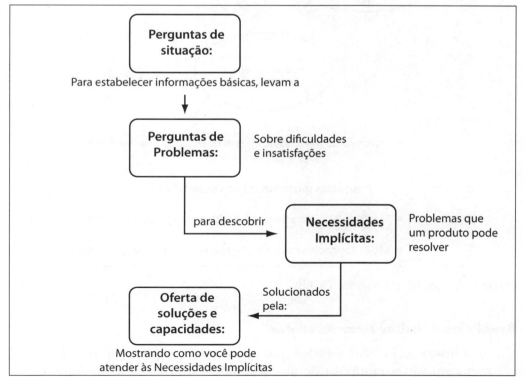

Figura 5.5. Uma receita para o sucesso nas pequenas vendas, mas desastrosa em vendas maiores.

Isso pode explicar por que a nossa pesquisa descobriu que os Benefícios são muito mais poderosos em vendas maiores. Para oferecer um Benefício é preciso ter uma Necessidade Explícita (Figura 5.6). Contudo, para obter a Necessidade Explícita, normalmente primeiro é necessário desenvolvê-la a partir de uma Necessidade Implícita usando Perguntas de Implicação e de Necessidade de Solução. O uso dos Benefícios, como nós os definimos, não pode estar separado da forma com que se desenvolvem as necessidades. Quando meus colegas e eu na Huthwaite conduzimos programas de treinamento, freqüentemente nos pedem orientações sobre como usar mais Benefícios. A nossa resposta é simples: "Faça um bom trabalho no desenvolvimento de Necessidades Explícitas e os Benefícios chegam praticamente sozinhos". Se alguém conseguir que um cliente diga: "Eu quero isso", não é difícil oferecer um Benefício, respondendo: "Nós podemos lhe oferecer isso".

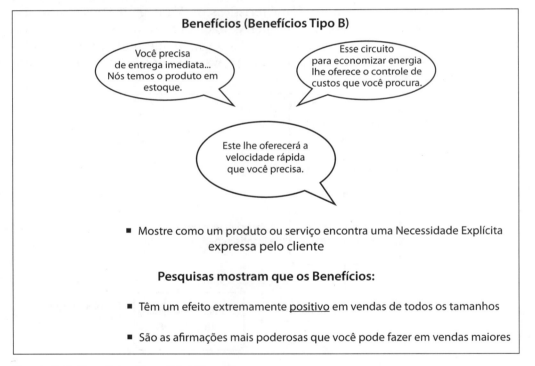

Figura 5.6. Benefícios (Benefícios Tipo B).

Benefícios e Visitas Bem-sucedidas

Um dos nossos primeiros estudos que confirmou o poder dos Benefícios foi realizado em várias empresas de alta tecnologia da Europa e da América do

Norte. Comparamos o nível dos Benefícios em 5 mil visitas com o resultado de cada uma (Figura 5.7). Descobrimos que os Benefícios (lembrando que a nossa definição de Benefício é uma afirmação que mostra como é possível atender a uma *Necessidade Explícita expressa*) eram significativamente mais altos em visitas que geravam Pedidos e Avanços. Em contraste, o nível de Vantagens (que mostra como um produto pode ajudar ou ser utilizado – o que muitos de nós aprendemos a chamar de "Benefícios") não era significativamente diferente em visitas bem ou malsucedidas.

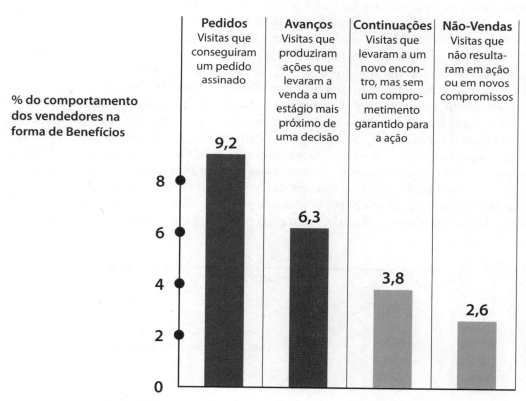

Figura 5.7. Relação dos Benefícios aos resultados em 5 mil visitas a empresas de alta tecnologia: O Gráfico mostra a relação dos Benefícios com as vendas.

Características, Vantagens e Benefícios em Vendas de Ciclo Longo

Uma das descobertas curiosas da nossa pesquisa foi que os impactos das Características, das Vantagens e dos Benefícios sobre o cliente não são similares durante todo o ciclo de vendas (Figura 5.8).

Estávamos trabalhando com uma das empresas líderes de informática do mundo, e parte da nossa investigação envolvia medir os efeitos dos comportamentos de venda em diferentes momentos do ciclo de vendas. A média no ciclo de vendas dessa organização era de 7,8 visitas.

Os pesquisadores da empresa, trabalhando com a Huthwaite, acompanharam vendedores em visitas, em diferentes momentos do ciclo.

Eles observaram a freqüência com que cada vendedor utilizava Características, Vantagens e Benefícios e depois compararam esse dado com o resultado de cada visita. Para ser técnico por um momento, o eixo vertical do gráfico na Figura 5.8 mostra realmente o nível de significância de cada comportamento medido por uma bateria de testes não paramétricos.

Em termos mais simples, quanto mais alta for a coluna correspondente a um comportamento no eixo vertical, maior a probabilidade de ele ajudar a vender.

Como se pode ver na Figura 5.8, as características tiveram um baixo impacto sobre o cliente durante todo o ciclo de vendas. Os Benefícios, por outro lado, tiveram um impacto maior sempre que foram usados. As Vantagens tiveram um comportamento incomum. Descobrimos que no início do ciclo, especialmente na primeira visita, as Vantagens apresentaram uma relação estatística moderadamente boa com o sucesso da visita. Essa é outra forma de dizer que as Vantagens tiveram um impacto positivo sobre os clientes durante a primeira visita — os vendedores que usaram muitas Vantagens estavam mais propensos a conseguir um Avanço em vez de uma Continuação ou Não-venda. No entanto, assim que o ciclo progrediu, as Vantagens tiveram um efeito decrescente sobre o cliente até que, quando o final do ciclo se aproximou, elas não eram mais poderosas do que as Características.

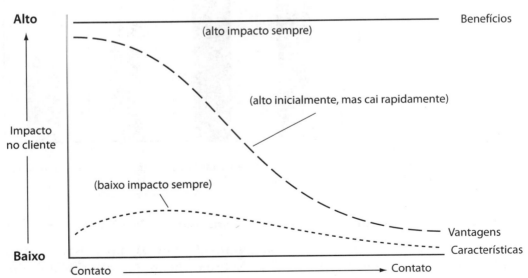

Figura 5.8. Características, Vantagens e Benefícios ao longo do ciclo de vendas.

Oferecendo Benefícios em Vendas Grandes

Por que as Vantagens se Desgastam?

Para ser honesto, não sei com certeza por que as Vantagens são mais efetivas no início do ciclo que no final. É uma daquelas descobertas que a equipe de pesquisa da Huthwaite ainda discute sempre que nos reunimos. Talvez seja porque, em um primeiro encontro, o cliente espera ouvir sobre o produto em vez de discutir necessidades. Estou certo de que muitas vezes você visitou clientes que começam a visita dizendo: "Agora me diga tudo sobre este seu produto". Certamente já tive clientes que não querem discutir necessidades até saberem mais sobre o que você tem a oferecer.

Outra possibilidade é que muitos vendedores que falam logo das Vantagens fazem isso porque têm uma visão positiva de seus produtos. Mal podem esperar para começar a falar de soluções. No curto prazo, seu entusiasmo os impulsiona, pelo menos até onde o cliente concorda em passar para a etapa subseqüente no ciclo de venda. Entretanto, se continuam uma abordagem centrada no produto, à medida que o ciclo progride, não estão reagindo às necessidades do cliente e, portanto, se tornam menos eficazes.

Uma terceira possibilidade é que as Vantagens, como vimos anteriormente, são esquecidas logo após a visita. Em conseqüência, seu efeito é temporário. Em contrapartida, os Benefícios continuam a ter um impacto *entre* as visitas porque sua ligação com as Necessidades Explícitas ajuda os clientes a se lembrarem delas.

Qualquer que seja a razão, estou certo de que você viu esse fenômeno em ação em casos na sua empresa. Um exemplo típico é o indivíduo insistente, agressivo que está muito mais interessado na venda do produto que em atender às necessidades do cliente. Com freqüência, esse tipo de pessoa terá muito sucesso nos primeiros estágios da venda. Tenho certeza de que já ouviu, como eu, histórias que essas pessoas contam sobre como acabaram de ter um primeiro encontro com um novo cliente e o impressionaram bastante pela forma como expuseram o produto e mostraram como este poderia resolver todos os problemas do cliente. Mas quantos desses inícios promissores se transformaram em pedidos? Menos do que se poderia esperar. E uma razão muito provável é que o estilo do vendedor de mostrar altas vantagens o ajudou no início do ciclo, mas se desgastou à medida que a venda progrediu. Porém, seja qual for a explicação, a pesquisa nos dá uma mensagem simples, mas importante. Nunca compensa oferecer uma Vantagem se não for possível avançar um pouco mais e oferecer um Benefício.

Vendas de Novos Produtos

Há uma área de Demonstração de Capacidade que geralmente é mal conduzida, mesmo por vendedores experientes.

Essa é uma área vital para o sucesso da maioria das organizações e é uma fonte permanente de frustração e desapontamento para o gerenciamento sênior. A área de que estou falando é o lançamento do novo produto. Várias vezes, a direção pede a meus colegas na Huthwaite e a mim para ajudarmos a explicar por que um novo produto não atendeu a meta inicial de vendas.

"O que há de errado?", eles perguntam. "Estávamos certos de que nossas projeções eram realistas. No entanto, agora, seis meses após o lançamento, não atingimos nem 50% do planejado. Será o produto? Será a força de vendas? O que há de errado?"

Dos vários lançamentos de produto que estudamos, surge um dado constante. A maior causa de fracos resultados no início da vida de um produto pode ser explicada em termos de Características, Vantagens e Benefícios.

A Abordagem do Estardalhaço

Quando um produto é novo, de modo geral, como o marketing de produto o apresenta à força de vendas? O pessoal de marketing reúne os vendedores e lhes comunica que um novo produto interessante está chegando. Eles explicam todas as Características e as Vantagens — fazendo muito alarde. E o que o pessoal de vendas faz? Eles ficam entusiasmados com o produto e saem por aí para vendê-lo. E quando estão na frente dos clientes, como eles se comportam? Falam sobre o produto exatamente da mesma forma que ouviram sobre ele. Em vez de fazerem perguntas para desenvolver necessidades, eles vão logo falando das Características e das Vantagens interessantes que o novo produto possui.

A Figura 5.9 mostra os dados compostos de inúmeros lançamentos de produto. Como se pode ver, o número médio de Características e Vantagens dadas quando se vendem novos produtos é mais de três vezes o nível apresentado pelo mesmo pessoal de vendas ao venderem produtos existentes. As evidências sugerem que a atenção dos vendedores é muito maior no produto que em seus clientes. Para ser franco, eu mesmo já fiz isso — você provavelmente também tenha feito a mesma coisa. Sempre que a Huthwaite lança um novo produto, todos nós ficamos interessados e entusiasmados e mal podemos esperar para contar a nossos clientes. E como tantas outras empresas, não sabemos por que — apesar de nosso entusiasmo — não estamos vendendo. Agora entendemos que é exatamente *por causa* de nosso entusiasmo. Nosso entusiasmo nos leva a nos centrarmos no produto e a apresentarmos Características e Vantagens. Como vimos neste capítulo, esta não é uma estratégia eficiente para a venda grande.

Abordagem de Solução de Problemas

Tivemos uma oportunidade interessante de testar se algo tão simples quanto Características e Vantagens excessivas poderiam responder pelo lento cresci-

Oferecendo Benefícios em Vendas Grandes

mento das vendas de novos produtos. Uma empresa importante na área médica nos convidou para realizarmos uma experiência com o lançamento de um de seus produtos novos.

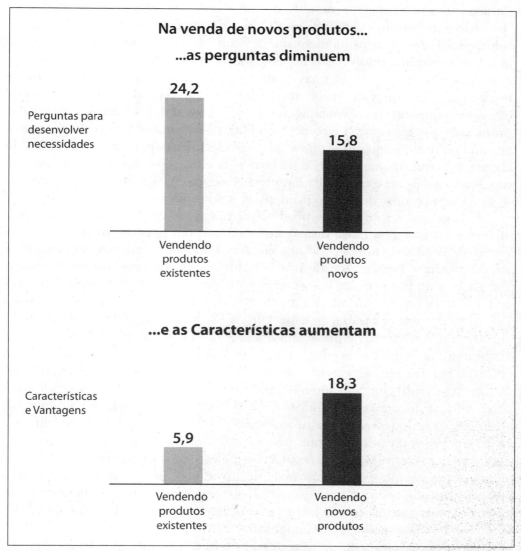

Figura 5.9. Ao vender produtos novos, a tendência é promover o produto e não as necessidades do cliente.

O produto era um equipamento sofisticado e caro para diagnóstico. Estava claramente na categoria da venda maior. A máquina foi lançada para a maioria da força de vendas da maneira convencional — uma apresentação de alto nível de suas Características e Vantagens pela equipe de marketing de produto. Mas tivemos permissão para lançá-lo de modo diferente com um pequeno grupo experimental de vendedores. Em vez de mostrar o produto a eles e descrever suas Características e Vantagens, nem os deixamos ver o que eles estariam vendendo. "Isso não é importante", explicamos. "O importante é que esta máquina deve resolver problemas para os médicos que a usam." Então, enumeramos os problemas que a máquina resolvia e as necessidades que ela atendia. Finalmente, nosso grupo fez uma lista de contas nas quais esses problemas poderiam existir, juntamente com Perguntas de Problema, Implicação e Necessidade de Solução que eles fariam quando visitassem aquelas contas. Ao lançar o produto em termos dos problemas que ele resolvia e como sondá-los, conseguimos desviar do produto a atenção de nosso pequeno grupo e fazer que se voltasse para as necessidades do cliente. A prova de que essa foi uma estratégia eficaz está nos resultados de vendas. Nosso grupo teve em média um nível de vendas 54% mais alto que o restante da força de vendas durante o primeiro ano do produto.

Essa pesquisa sobre novos produtos também me deu uma explicação para algo que me intrigava havia vários anos. Algumas das pessoas com melhores registros de vendas de novos produtos são as que menos acreditam em lançamentos de produto. Lembro-me de ir a um lançamento de produto em Acapulco alguns anos atrás. O evento foi esplendoroso. Grandes nomes do mundo do entretenimento foram contratados a um custo inacreditável, e o ambiente estava infestado de relações públicas, especialistas em mídia, consultores de comunicação e uma variedade de pessoas também caras. Os vendedores, esperando ansiosamente pelo grande evento, ajuntavam-se no saguão principal para ouvir a uma das balelas mais espetaculares e onerosas da década sobre Características. Fiquei deprimido com a despesa enorme que meu cliente tinha incorrido para fazer a força de vendas comunicar o novo produto com ineficiência, por isso decidi esperar do lado de fora até que toda a confusão e espetáculo terminasse. Sentados perto da piscina, notei dois outros indivíduos que tinham escapado da mesma apresentação. Conversando com eles, descobri que eram ambos vendedores experientes. "É apenas mais um produto", disse um deles. "Quando esse burburinho todo passar, vou voltar e pensar o que é que o cliente precisa dele." Claramente, ele não ia cair na armadilha de negligenciar as necessidades em favor de Características e Vantagens.

Alguém já notou como, justo quando o novo produto parece ser uma decepção e a força de vendas está perdendo o entusiasmo, as vendas de repente começam a melhorar? Lembro-me exatamente de que isso aconteceu quando eu estava envolvido no lançamento de uma grande máquina copiadora nova. Na época achei curioso que as vendas fossem péssimas até que a força de vendas perdeu o entusiasmo pelo produto. Então, quando todos começavam a dizer: "Esta nova máquina não tem nada de especial", os resultados deram uma

Oferecendo Benefícios em Vendas Grandes **131**

virada radical e melhoraram. Eu não tinha explicações, pois isso parecia exatamente o oposto do bom senso. Qualquer um pensaria que a máquina teria mais sucesso quando era nova — com o entusiasmo máximo da força de vendas e o máximo de *vantagem* competitiva. Agora eu sabia o que estava acontecendo. Como ficaram desiludidos, a atenção dos vendedores se desviou do produto e voltou-se para o cliente.

Eis aqui uma lição para qualquer pessoa preocupada com o sucesso em lançamentos de produto. Vários de nossos clientes de grandes multinacionais, com base em pesquisas da Huthwaite, agora lidam com lançamentos de uma nova maneira. Em vez de apresentar Características e Vantagens quando anunciam novos produtos à força de vendas, eles concentram-se em explicar os problemas que o produto resolve e em formular perguntas que revelarão e desenvolverão esses problemas. Este provou ser um método de grande êxito para acelerar a curva de crescimento das vendas de novos produtos.

Demonstrando a Capacidade com Eficiência

Quais são as mensagens fundamentais neste capítulo que o ajudarão a demonstrar sua capacidade nas vendas maiores de modo mais eficaz? Eu destacaria três pontos práticos principais:

1. *Não demonstre capacidades logo no início da visita.* Nas vendas menores pode-se detectar um problema e ir direto às Vantagens sobre como é possível resolvê-lo, mas isso não funciona bem em vendas maiores. É importante em vendas maiores desenvolver Necessidades Explícitas — usando Perguntas de Implicação e de Necessidade de Solução — antes de oferecer soluções. Apresentar capacidades cedo demais é um dos erros mais comuns em grandes contas. Isto fica mais difícil porque muitos clientes encorajam a apresentação de soluções na ausência de qualquer informação sobre necessidades. "Basta vir e fazer uma apresentação sobre seu produto", eles dizem, "e decidiremos se ele está adequado às nossas necessidades." Se alguém foi forçado a fazer apresentações de Características e Vantagens no início do ciclo de venda, deve tentar sempre ter no *mínimo* uma pré-reunião com uma pessoa-chave na conta para identificar necessidades, de modo que a apresentação inclua pelo menos alguns Benefícios.

2. *Cuidado com as Vantagens.* A maior parte do treinamento de vendas, por se basear em modelos adequados a vendas menores, encoraja as declarações sobre a Vantagem ao vender. Para complicar a questão, o termo utilizado para tais afirmações é "Benefícios". Não deixe que o treinamento anterior o oriente mal. É preciso lembrar que, em vendas maiores, as declarações

mais fortes são aquelas que mostram que você atende a *Necessidades Explícitas*. Não se engane pensando que está oferecendo muitos Benefícios se não identificar e atender a essas Necessidades Explícitas.

3. *Cuidado com produtos novos.* Quase todos nós apresentamos Características e Vantagens demais, quando estamos vendendo produtos novos. Não deixe isso acontecer. Em vez disso, a primeira coisa a se perguntar sobre qualquer produto novo é: "Que problemas isto soluciona?". Quando se entende os problemas que ele resolve, pode-se planejar perguntas **SPIN** para desenvolver Necessidades Explícitas. Experimente. Você será muito mais eficiente.

Respostas: Tipos de Declarações sobre Produtos

1. *Característica.* Estabilizador de voltagem é um dado sobre o sistema. A frase não explica como o estabilizador pode ser usado ou ajudar o cliente.

2. *Vantagem.* Esta frase mostra como a Característica na frase 1 pode ser usada ou ajudar o cliente. Não é um Benefício porque o cliente não expressou uma Necessidade Explícita de um estabilizador.

3. *Vantagem.* A frase mostra como a memória de backup pode ser usada ou ajudar o cliente, logo é mais do que uma simples Característica. Contudo, uma vez que não há evidência de que o cliente expressou uma Necessidade Explícita de memória de backup, não podemos dizer que este seja um Benefício.

4. *Característica.* Declarações de custo (como esta) são dados ou fatos sobre o produto, por isso as classificamos como Características.

5. *Benefício.* Na frase anterior, o cliente expressou uma Necessidade Explícita: "Preciso ser capaz de ler dados da fonte direto da memória". Nessa frase o vendedor mostra como o produto atende àquela Necessidade Explícita.

6. *Benefício.* Novamente, o comprador declarou uma Necessidade Explícita (uma taxa de erro menor que 1 em 100 mil). O vendedor mostra que seu produto pode atender facilmente a necessidade.

7. *Vantagem.* O vendedor mostra outra maneira em que ter uma baixa taxa de erro pode ser usada ou ajudar o cliente. Entretanto, como mostra a próxima declaração do cliente, isso não atende a uma necessidade.

8. *Característica.* Um dado sobre o produto.

9. *Característica.* Mais dados sobre o produto.

10. *Vantagem.* O vendedor mostra como a Característica de codificar com base no tempo pode ser usada para ajudar o cliente.

6
Evitando Objeções

Durante uma visita ao centro de treinamento de uma destacada multinacional, fui convidado a acompanhar um treinamento de vendas. Em vez de escolher a aula de Sistemas Avançados de Vendas, como meus anfitriões talvez esperassem, perguntei se podia ficar em um programa típico de habilidades básicas para novos vendedores. Entrando no fundo da sala, em silêncio, olhei em volta. Todos os alunos tinham uma atenção pouco natural, indicativa de serem novos em vendas. O instrutor deles, promovido recentemente da atividade em campo, estava iniciando com grande entusiasmo seu tópico preferido — lidando com objeções. Ninguém poderia ter imaginado uma cena mais típica. Aquele podia ser o segundo dia de um programa básico de treinamento de vendas, em qualquer grande corporação.

"O vendedor profissional", começou o instrutor, "recebe bem as objeções porque elas são um sinal do interesse do cliente. De fato, quanto mais objeções, mais fácil será para vender." Os alunos, impressionados, anotaram o que o instrutor disse. Enquanto isso eu grunhia por trás do meu sorriso obrigatório de visitante. Ali estava mais uma geração de vendedores a ouvir um dos mitos mais enganadores em vendas. Entretanto, como visitante seria inadequado comentar, então continuei a sorrir durante uma hora, ouvindo técnicas de manejo de objeções até o intervalo.

Durante o intervalo, conversei com o instrutor. "Você acredita no que estava dizendo lá", perguntei, "essa coisa sobre quanto mais objeções, mais fácil vender?"

"Sim", ele respondeu. "Se eu não acreditasse, não estaria ensinando."

Hesitei. Ficou claro que o instrutor e eu tínhamos visões opostas sobre o manejo de objeções. Teria sido mais fácil parar a conversa, mas ele tinha sido muito gentil em me deixar entrar em sua aula, por isso achei que deveria lhe retribuir. Perguntei: "Você foi um vendedor bem-sucedido durante vários anos, não foi?".

"Sim", ele respondeu com orgulho. "Estou na empresa há cinco anos e participei do Clube do Presidente nos últimos três."

"Lembre-se de sua própria experiência de vendas", eu insisti. "Cinco anos atrás, quando você era novo, recebia mais ou menos objeções de seus clientes do que está recebendo agora?"

Ele pensou por um momento. "Mais, acho." Então, enquanto se lembrava, acrescentou: "Sabe, nos dois anos em que eu era novo, parecia receber objeções o tempo todo."

"Então, naqueles dois primeiros anos, enquanto enfrentava todas aquelas objeções, teve um bom registro de vendas?"

"Não", ele disse constrangido. "De fato, minhas vendas não foram boas até meu terceiro ano na empresa."

Pressionando, perguntei: "Então você foi muito melhor no terceiro ano?"

"Sim, foi o ano em que entrei para o Clube do Presidente pela primeira vez."

"E as objeções? Parece que você teve mais objeções em seus anos malsucedidos. Como isso se relaciona com o que você disse em sala sobre quanto mais objeções mais bem-sucedida será a visita?"

Ele refletiu durante um instante e disse: "Tem razão. Pensando bem, enfrentei muito mais objeções quando não tinha sucesso. Talvez eu esteja passando a mensagem errada."

Ele foi admirável. A maioria das pessoas — dada a espantosa capacidade humana de descartar evidências indesejadas — teria desviado da questão e mantido a posição inicial. Mas a aula estava reiniciando e eu tinha que terminar minha visita pela instalação, por isso não tive tempo para conversar mais com o instrutor sobre manejo de objeções. Se eu tivesse tido mais tempo, teria lhe dito:

- O manejo de objeções é uma habilidade muito menos importante do que a maior parte dos treinamentos faz parecer.
- As objeções, ao contrário da crença comum, são criadas com mais freqüência pelo vendedor que pelo cliente.
- Em uma equipe de vendas comum, geralmente há um vendedor que recebe dez vezes mais objeções que outra pessoa da mesma equipe.
- Pessoas hábeis recebem menos objeções porque aprenderam a evitar objeções e não a lidar com elas.

Para explicar essas constatações, terei de voltar à discussão de Características, Vantagens e Benefícios no Capítulo 5. Lembremos das definições desses três comportamentos e suas ligações com o sucesso em vendas de diferentes tamanhos (Figura 6.1). Uma de minhas colegas, Linda Marsh, executou alguns

Evitando Objeções

135

estudos de correlação para verificar se estatisticamente há ligações significativas entre cada um desses comportamentos e as respostas mais prováveis dos clientes. Por exemplo, quando os vendedores usam muitas características em visitas, os clientes reagem de modo diferente que em visitas nas quais *menos* Características são usadas? Ela descobriu que Características, Vantagens e Benefícios produzem uma reação comportamental diferente dos clientes (Figura 6.2).

Comportamento	Definição	Impacto	
		Em vendas pequenas	Em vendas maiores
Características	Descreve fatos, dados, características do produto	Ligeiramente positivo	Neutro ou ligeiramente negativo
Vantagens (Benefícios Tipo A)	Demostra como produtos, serviços ou suas Características podem ser usados ou ajudar o cliente	Positivo	Ligeiramente positivo
Benefícios (Benefícios Tipo B)	Demostra como produtos ou serviços atendem a Necessidades Explícitas pelo cliente	Muito positivo	Muito positivo

Figura 6.1. Características, Vantagens e Benefícios.

Comportamento do vendedor	Resposta mais provável do cliente
Características	Preocupações de preço
Vantagens	Objeções
Benefícios	Apoio ou aprovação

Figura 6.2. Efeitos mais prováveis de Características, Vantagens e Benefícios nos clientes.

Características e Preocupações de Preço

É bastante provável que os clientes levantem preocupações de preço em visitas em que o vendedor apresenta muitas características. Por que isso ocorre? Parece que o efeito das Características é aumentar a sensibilidade do cliente a preço. Isso não é necessariamente algo ruim se alguém está vendendo produtos de baixo custo que têm relativamente muitas características.

Consideremos a psicologia da propaganda mostrada na Figura 6.3. Esse produto, com muitas características, está sendo vendido de uma forma que funciona bem com produtos mais baratos. É possível imaginar um comercial de televisão: "Nós lhe damos multiplicação, divisão, subtração... e quanto você acha que isto vale? Bem, não responda ainda porque você também obtém porcentagens de margem de lucro — e isto é algo que você geralmente não encontra em relógios que custam dez vezes mais. E nós também lhe damos..." Ao longo da história, usar Características dessa forma sempre ajudou a vender bens com preços mais baixos. Por quê? Porque as características aumentam a sensibilidade ao preço. Ao enumerar todas as características, o cliente passa a esperar um preço maior. Quando o produto é muito mais barato que o de sua concorrência, a sensibilidade aumentada ao preço leva o comprador a se sentir extremamente positivo em relação ao preço mais baixo.

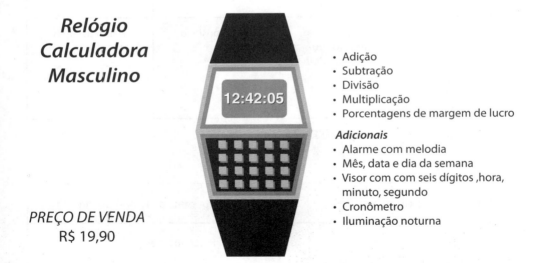

Figura 6.3. Um produto de baixo custo com muitas características.

Eu escolhi o exemplo de um relógio, e não um produto industrial, porque há algo singular em relógios. Em nenhum outro mercado que eu possa imaginar há uma diferença de preço tão grande entre os concorrentes.

Evitando Objeções **137**

Agora considere a propaganda mostrada na Figura 6.4. Este relógio é quase cem vezes mais caro que aquele da Figura 6.3. Você acha que estaria mais propenso a comprar esse relógio caro se houvesse uma lista de Características ao lado da propaganda para ajudar a convencê-lo? Jamais! Com produtos top de linha, a preocupação com preço criada pelas Características tornará as pessoas *menos* propensas a comprar. Uma lista de Características provavelmente o leve a se perguntar se vale a pena comprar o relógio caro.

Figura 6.4. Um produto de alto custo. Enumerar características é uma ação negativa.

Excesso de Características: Estudo de Caso

A relação entre Características e preocupações de preço não é algo teórico que se aplica apenas a anunciantes. Ela tem claras implicações na estratégia de vendas. Uma importante corporação multinacional com sede nos Estados Unidos certa vez ligou pedindo ajuda. A corporação estava enfrentando a dura concorrência japonesa em seu mercado primário, principalmente na faixa mais barata de seu portfólio de produtos. Os produtos japoneses tinham inúmeras características e, como se poderia esperar, custavam um pouco menos que suas próprias máquinas. À medida que a participação de mercado foi decaindo, a corporação procurou alternativas para cortar preços. Uma possibilidade atraente seria introduzir um novo produto, com mais Características, que pudesse competir diretamente com as máquinas japonesas. Tal máquina ainda seria um pouco mais cara, mas devido às suas Características adicionais, ela constituiria uma oferta muito mais forte no mercado.

Mas quem venderia esse novo produto? A corporação decidiu recrutar parte da força de vendas da concorrência. Afinal, ninguém sabia tanto sobre como vender essas máquinas com tantas características quanto aqueles que foram vendedores bem-sucedidos para a concorrente japonesa. Parecia, aparentemente, uma estratégia plausível — recrutar vendedores experientes enquanto se enfraquecia a concorrência, atraindo seus melhores funcionários. Os agentes da corporação procuraram esses vendedores que tinham sido bem-sucedidos em vender as máquinas japonesas mais baratas e conseguiram recrutar alguns dos melhores profissionais da concorrente.

Infelizmente, os resultados de vendas desses novos funcionários foram profundamente decepcionantes. Os astros da concorrência não tiveram um desempenho melhor do que a força de vendas existente. Enquanto tentava descobrir o que havia de errado, conversei com várias das pessoas recrutadas da concorrência e percebi que estavam confusas e desoladas com a queda repentina de sucesso. "É o preço", eles explicaram. "O produto é caro demais; recebemos objeção ao preço o tempo todo." E eles tinham razão. Quando os acompanhamos em visitas, constatamos que o número de objeções ao preço que eles recebiam dos clientes era 30% mais alto que o resto da força de vendas que vendia o mesmo produto. Por quê? Não podíamos dizer que era pura coincidência quando duas seções de uma força de vendas que vendiam um produto idêntico recebiam níveis diferentes de objeções a preço de seus clientes.

A resposta está no uso que eles faziam das Características. Enquanto vendiam para o concorrente mais barato, esses vendedores desenvolveram um estilo de vendas que destacava muito as Características. Isso dava certo porque, como vimos, as Características aumentam as preocupações dos clientes com preço. Mas uma vez que seu produto era mais barato, a preocupação com preço funcionava para sua vantagem. Agora que eles estavam vendendo para um con-

Evitando Objeções **139**

corrente muito mais caro, o alto nível de Características que eles apresentavam funcionava contra eles. Suas Características aumentavam o preço em questão e, uma vez que seu produto era mais caro, isso voltava os clientes para o concorrente mais barato. Apresentei nossas conclusões ao vice-presidente de Vendas da divisão. Como ele comentou ironicamente: "Agora, parece que eles estão vendendo melhor para nossa concorrência que quando nossa concorrente os empregava". Como poderíamos ajudar? Sugeri que não seria ensinando-lhes a lidar com objeções a preço. Aquele era apenas um sintoma. Tratar a *causa* e ajudar esses novos funcionários a adotar um estilo de vendas mais adequado a um produto top de linha, traria mais resultado. Então, nós os treinamos nas técnicas de questionamento **SPIN** de modo que eles pudessem usar um estilo que destacasse os Benefícios. Como resultado, suas vendas aumentaram, as objeções a preço caíram e as questões de preço logo foram esquecidas.

Tratar os Sintomas ou Tratar as Causas?

Vamos apresentar um tema que será retomado várias vezes neste capítulo. Sanar um problema de vendas, assim como curar uma doença, consiste em encontrar e tratar a *causa* e não os sintomas.

Quando eu tinha nove anos morava em Bornéu. Um amigo de minha idade me advertiu que havia uma epidemia de febre tifóide na vila. Tudo o que sabíamos da febre tifóide era que ela causava febre muito alta. "Mas eu não vou pegar", ele me assegurou; "Estou comendo muito sorvete para ficar frio". Eu segui o exemplo dele — e peguei a doença do sorvete infectado. Uma das poucas coisas de que me lembro bem do mês em que fiquei seriamente enfermo no hospital foi de meu pai me explicar as diferenças entre sintomas, como temperatura alta, e causas, como aquela pequena bactéria repugnante *Salmonella typhosa* que adora sorvete.

Talvez esse episódio tenha me tornado sensível a tratar sintomas quando se deveria estar atento às causas. Mas suponha que eu dirigisse um programa para ensinar àqueles vendedores respostas inteligentes para objeções a preço. Chegaríamos a alguma coisa? Acho que não. A preocupação do cliente com preço era apenas um sintoma e a causa era dar Características demais. Ensinar habilidades para lidar com objeções não faria mais do que impedir preocupações com preço do que o sorvete faria para impedir a febre tifóide.

Vantagens e Objeções

Talvez a mais fascinante das ligações que Linda Marsh descobriu seja a forte relação entre vantagens e objeções. Lembremos que as vantagens são afirmações que mostram como os produtos ou suas Características podem ser utilizados ou podem ajudar o cliente — declarações que muitos de nós fomos treinados a chamar de "Benefícios". O Capítulo 5 mostrou que as vantagens têm um efeito positivo em pequenas vendas, mas um efeito muito menos positivo quando a venda cresce, e a descoberta de Linda oferece uma explicação parcial disso. As vantagens criam objeções — e esta é a razão para estarem fracamente ligadas ao sucesso na venda grande.

Para ajudar a entender a ligação entre Vantagens e Objeções, considere o diálogo da visita de vendas a seguir. O vendedor representa a empresa que fabrica a Comanda Digital, um dispositivo portátil que permite aos garçons registrarem os pedidos dos clientes e transmiti-los eletronicamente para a cozinha. O vendedor e o comprador estavam conversando durante alguns minutos quando este diálogo ocorreu:

>VENDEDOR: *(Pergunta de problema)* Anotar o pedido à mão — escrevê-lo em um bloco de papel e depois levá-lo para a cozinha — desperdiça tempo?
>
>COMPRADOR: *(Necessidade implícita)* Sim, mas todo mundo está acostumado com isso.
>
>VENDEDOR: *(Vantagem)* Nosso sistema é muito mais rápido que o tradicional e economiza muitas caminhadas aos seus garçons.
>
>COMPRADOR: *(Objeção)* Caminhar para cá e para lá faz parte do trabalho deles. Não vamos gastar $ 15.000 só para os garçons não terem de levar os pedidos até a cozinha.
>
>VENDEDOR: *(Vantagem)* Entendo, mas o tempo gasto também é um problema para seus clientes. A Comanda Digital torna toda sua operação muito mais eficiente.
>
>COMPRADOR: *(Objeção)* Nós já somos muito eficientes, e se eu quisesse melhorar nossa eficiência, gastaria dinheiro para treinar a equipe. Metade deles não lembra o prato do dia ou os 14 tipos de cerveja que oferecemos.
>
>VENDEDOR: *(Pergunta de problema)* Seus garçons têm dificuldade para se lembrarem de tudo o que é exigido para terem um bom desempenho?
>
>COMPRADOR: *(Necessidade implícita)* Alguns têm.
>
>VENDEDOR: *(Vantagem)* Podemos ajudá-lo nisso. A Comanda Digital têm uma função de informações, que pode ser atualizada a qualquer momento — é só digitar o prato do dia no computador e automaticamente as Comandas Digitais de todos os garçons estarão atualizadas.
>
>COMPRADOR: *(Objeção)* Nossos funcionários não entendem de computador. Se eles não conseguem se lembrar do prato especial, não vão se lembrar de como usar o aparelho. Teríamos mais erros nos pedidos do que temos.
>
>VENDEDOR: *(Pergunta de problema)* Você está tendo muitos erros atualmente?
>
>COMPRADOR: *(Necessidade implícita)* Alguns. Bem, não mais do que qualquer outro resaurante, mas mais do que eu gostaria.
>
>VENDEDOR: *(Vantagem)* Pesquisas independentes mostram que a Comanda

Evitando Objeções

141

Digital praticamente elimina erros nos pedidos, porque tanto a cozinha quanto o cliente recebem uma cópia impressa do pedido.

COMPRADOR: *(Objeção)* É mesmo? Mesmo assim, não acho que vale o trabalho de treinar todo mundo.

O que aconteceu aqui? A primeira coisa que você notará é que a própria Vantagem é seguida por uma objeção. É claro, escolhi esse extrato para ilustrar meu ponto de vista, pois as objeções nem *sempre* seguem as Vantagens da forma que o fazem no exemplo que escolhi aqui. Às vezes o vendedor usará uma Vantagem que traz uma resposta favorável do cliente. Pela nossa pesquisa, porém, as objeções são uma resposta mais provável que qualquer outro comportamento do comprador (Figura 6.5).

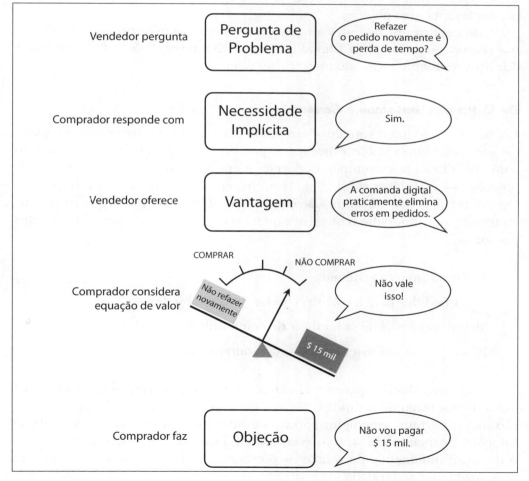

Figura 6.5. Criando objeções.

Como se pode ver, o problema fundamental que está causando a objeção é que o vendedor ofereceu uma solução antes de gerar a necessidade. O comprador não acha que o problema tem valor suficiente para merecer uma solução tão cara. Em conseqüência, quando o vendedor dá a Vantagem, o comprador levanta uma objeção.

Outro ponto a ser destacado nesse exemplo é a seqüência característica de comportamentos: Pergunta de problema/Necessidade Implícita/Objeção. Descobrimos que essa seqüência acontece repetidamente em visitas malsucedidas. Vamos examinar mais atentamente o que está acontecendo.

Como você pode ver, o problema fundamental que está causando a objeção é que o vendedor ofereceu uma solução antes de gerar a necessidade. O comprador não acha que o problema tem valor suficiente para merecer uma solução tão cara. Em consequência, quando o vendedor dá a Vantagem, o comprador levanta uma objeção.

Isso explica por que as Vantagens têm um efeito mais positivo em pequenas vendas. Se a Comanda Digital custasse $ 15 em vez de $ 15 mil, o comprador provavelmente teria tido uma reação diferente.

De Volta aos Sintomas e Causas

Como você ajudaria o vendedor em nosso exemplo? É tentador sugerir que se ele está recebendo tantas objeções, é preciso ter mais habilidades para lidar com elas. Então, por exemplo, poderíamos ensiná-lo os *princípios* do manejo de objeções — as técnicas clássicas de reconhecer, reformular a frase e responder. Ou poderíamos dar-lhe ajuda *específica* com as objeções comuns que os clientes levantam, mostrando-lhe o que dizer quando os clientes levantam objeções típicas como:

Seu produto é caro demais.

Levar pedidos para a cozinha é parte do trabalho deles.

Meu pessoal não vai se lembrar de como utilizar o produto.

Passar para o seu sistema seria incômodo demais.

Cada uma dessas opções o ajudaria a lidar melhor com futuras objeções. Mas estamos tratando o sintoma ou a causa? Em cada caso, no exemplo, a objeção surgiu porque o vendedor não construiu valor suficiente antes de oferecer soluções. Ensinar a lidar com objeções trata o sintoma, mas não altera a causa. A doença fundamental de vendas — oferecer a solução muito cedo — permanece maligna e não tratada.

Evitando Objeções

143

A Cura

Se lidar com a objeção só trata o sintoma, como nos prepararíamos para uma cura total? É aí que entra o Modelo **SPIN**. Ao ensiná-la a investigar de modo a construir *valor*, podemos evitar que a objeção apareça. Vou mostrar o que eu quero dizer com isso, usando a última objeção no exemplo. Primeiro vou examinar por que o cliente levantou a objeção:

> VENDEDOR: *(Pergunta de problema)* Estão ocorrendo muitos erros atualmente?
> COMPRADOR: *(Necessidade implícita)* Alguns. Bem, não mais do que em qualquer outro restaurante, porém mais do que eu gostaria.
> VENDEDOR: *(Vantagem)* Pesquisas independentes mostram que a Comanda Digital praticamente elimina erros nos pedidos, porque tanto a cozinha quanto o cliente recebem uma cópia impressa do pedido.
> COMPRADOR: *(Objeção)* É mesmo? Apesar disso, não acho que vale o trabalho de treinar todo mundo.

O cliente levantou a objeção porque não percebe *valor* suficiente com a redução da taxa de erros. Se traçássemos um diagrama da equação de valor para mostrar o que estava acontecendo na mente do cliente, provavelmente ele se pareceria com aquele da Figura 6.6. O transtorno de treinar a todos é muito maior que o valor de se eliminar alguns erros. Mesmo as melhores habilidades para lidar com objeções não podem alterar o fato de que a vendedora ofereceu uma solução sem primeiro construir valor.

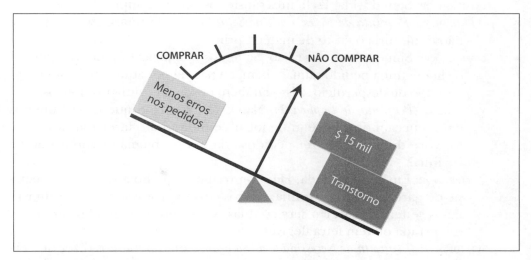

Figura 6.6. Como o cliente vê isso.

Vamos examinar como uma pessoa mais hábil conduziria a mesma situação:

VENDEDOR: *(Pergunta de problema)* Vocês estão tendo muitos erros atualmente?

COMPRADOR: *(Necessidade Implícita)* Alguns. Bem, não mais do que em qualquer outro restaurante, porém mais do que eu gostaria.

VENDEDOR: *(Pergunta de implicação)* Você diz mais do que gostaria. Isso significa que erros com pedidos estão fazendo os pratos serem devolvidos para a cozinha e os cozinheiros terem que começar tudo de novo?

COMPRADOR: Exatamente. Não é um grande problema, porque nossos cozinheiros são realmente muito rápidos.

VENDEDOR: *(Pergunta de Implicação)* Em horários de pico, como na correria da hora do almoço, quando um pedido precisa ser refeito não cria tumulto?

COMPRADOR: Sim, em certos momentos a cozinha fica uma loucura, e os clientes ficam impacientes. Contudo nós lhes damos uma taça gratuita de vinho e de repente eles estão satisfeitos novamente.

VENDEDOR: *(Pergunta de Implicação)* Então, erros com pedidos e os atrasos subseqüentes na cozinha causam alguma insatisfação entre seus clientes?

COMPRADOR: Sim. É por isso que estamos dispostos a perder a venda de uma bebida e oferecer vinho a eles. Nosso sucesso se deve totalmente aos comentários boca a boca, por isso não podemos ter clientes que saem por aí reclamando do atendimento.

VENDEDOR: *(Pergunta de Necessidade de Solução)* Então, reduzir erros nos pedidos e ter que refazer os pratos, aumentaria a satisfação do cliente?

COMPRADOR: Sem dúvida. E clientes satisfeitos voltam sempre.

VENDEDOR: *(Pergunta de Necessidade de Solução)* Ter de refazer menos pratos não diminuiria o custo de matéria-prima?

COMPRADOR: Sim, pode-se dizer isso. Se temos que jogar fora um filé porque o cliente tinha pedido salmão, bem, eu paguei por aquele filé. Odeio ver esse tipo de desperdício, e isso também deixa os cozinheiros loucos.

VENDEDOR: *(Pergunta de Implicação)* Não estou surpreso que os cozinheiros enlouqueçam quando têm de jogar comida fora e fazer um novo prato. Você diria que refazer pedidos cria um problema de motivação na cozinha?

COMPRADOR: Em certa medida. Há sempre um pequeno atrito entre a equipe de garçons e a da cozinha, mas os cozinheiros realmente ficam irritados se têm de fazer o serviço duas vezes porque o garçon fez anotação errada ou tem letra ilegível.

VENDEDOR: *(Pergunta de Necessidade de Solução)* Então podemos dizer que eliminar erros quando se anota pedidos melhoraria a motivação dos funcionários?

Evitando Objeções

145

COMPRADOR: Sim. E em um restaurante, mais do que em qualquer outro tipo de negócio, uma equipe satisfeita torna os clientes satisfeitos. Os clientes percebem quando as coisas não vão bem na cozinha.

VENDEDOR: *(Resumindo)* Então parece que pedidos anotados à mão estão gerando erros e, por esse motivo, seus cozinheiros precisam refazer alguns pratos. O cliente cujo pedido estava errado precisa esperar o dobro do tempo pela sua comida e, em momentos de maior movimento do dia, refazer pratos pode criar gargalos que atrasam os pedidos de outros clientes. Além disso, é um desperdício porque você paga os custos do prato que foi jogado fora e do novo que teve que ser feito. Isso também aborrece os cozinheiros e pode afetar o clima do restaurante.

COMPRADOR: Você sabe, essa tradição de anotar pedidos à mão é tão antiquada e agora eu vejo como ela está afetando o negócio. Temos de parar de refazer pedidos.

VENDEDOR: *(Benefício)* Pesquisas independentes mostram que a Comanda Digital praticamente elimina erros nos pedidos, porque tanto a cozinha quanto o cliente recebem uma cópia impressa do pedido.

Se tivéssemos de reexaminar a equação de valor do cliente agora, provavelmente ela seria parecida com aquela da Figura 6.7.

Assim, o custo e o transtorno são mais do que compensados pelo *valor* que o vendedor criou pelo uso de Perguntas de Implicação e de Necessidade de Solução. É um recurso mais eficaz de venda porque atacamos a *causa* da objeção. Como resultado, a objeção nem aparece. A prevenção da objeção se revela uma estratégia superior ao manejo da objeção.

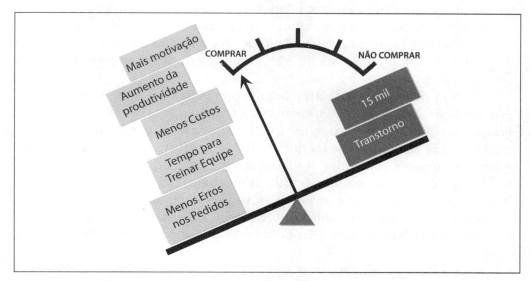

Figura 6.7. O cliente desenvolve um novo ponto de vista.

Prevenção da Objeção: Estudo de Caso

Posso imaginar as pessoas lendo esse trabalho e dizendo para si mesmas: "Sim, tudo parece muito plausível quando Rackham está inventando exemplos que se encaixam no que ele quer expor, mas não sei se isso se sustenta no mundo real". Como mais uma evidência, então, gostaria de compartilhar uma das pequenas investigações mais fascinantes em que me envolvi.

A empresa era uma corporação conhecida de alta tecnologia cujo pessoal de pesquisa estava investigando comportamento de vendas em uma de suas divisões no sul dos Estados Unidos. Incentivamos a equipe de pesquisa a usar o método de análise de comportamento que consistia em contar com que freqüência comportamentos-chave do vendedor e do cliente ocorriam durante as visitas de vendas, e chegou-se a uma conclusão curiosa. Uma equipe de vendas na divisão tinha em média oito vendedores. Em termos puramente de probabilidade estatística, era esperado que essas oito pessoas, cada uma vendendo o mesmo produto a um cliente do mesmo porte e com os mesmos concorrentes, enfrentassem aproximadamente o mesmo número de objeções por hora de venda. Não era o que acontecia. Havia uma diferença enorme no número de objeções enfrentadas por vendedores individualmente. Em uma equipe média, eles frequentemente encontravam uma pessoa que tinha de enfrentar até 10 vezes mais objeções por hora de venda do que outros membros da mesma equipe.

A equipe de pesquisa não sabia de nosso trabalho sobre as ligações entre Vantagens e Objeções. Naturalmente, tiraram conclusões óbvias. Quem recebe tantas objeções deve precisar de treinamento para saber como lidar com elas. Elas nos pediram orientação. Uma rápida olhada em seus dados nos disse o que precisávamos saber. Selecionamos dados de análise de comportamento de dez pessoas que estavam recebendo grande quantidade de objeções e eram candidatos óbvios ao treinamento em manejo de objeções. Em todos os dez casos, essas pessoas tinham uma média mais alta no número de Vantagens que usavam em suas visitas.

Convenci a empresa a fazer uma experiência corajosa. "O que eu gostaria de fazer", expliquei, "é treinar essas pessoas a *evitarem* a objeção. Acho que posso conceber um programa que nem menciona a palavra *objeção*, mas que fará mais por essas pessoas que o melhor treinamento de manejo de objeções." A empresa concordou. Escolhemos oito vendedores que — dos dados de análise de comportamento — tinham recebido, cada um, um alto nível de objeções dos clientes. Como prometi, nosso treinamento não diria nada sobre objeções e como lidar com objeções. Em vez disso, ensinaríamos as oito pessoas a desenvolver Necessidades Explícitas com o Modelo **SPIN** e então oferecer Benefícios.

Depois do treinamento, os pesquisadores da empresa saíram com os oito para contar o número de objeções que agora estavam recebendo nas visitas. O número médio de objeções por hora de venda caíra em 55%. Tirei duas conclusões desse pequeno estudo:

- Ele confirma que a melhor forma de lidar com objeções é através da prevenção. Trate a causa e não o sintoma.
- Nosso treinamento não evitava objeções *completamente*.

Haverá sempre objeções que surgem porque o cliente tem necessidades que seu produto não pode suprir ou porque o produto do concorrente é obviamente superior. Essas objeções "verdadeiras" são fatos da vida, e nenhuma técnica de prevenção da objeção pode fazer qualquer coisa para impedi-las. Entretanto, o que fomos capazes de mostrar nesse caso foi que as objeções podem ser reduzidas em mais da metade, usando os comportamentos **SPIN** para construir valor.

A Abordagem de Objeções do Treinamento de Vendas

O treinamento tradicional de vendas realmente ensina pessoas a *criar* objeções então, lhes ensina técnicas para lidar com as objeções que criaram inadvertidamente. Isso ocorre porque os modelos de habilidades em vendas em todos os bons programas de treinamento que analisamos se basearam na venda simples. Como vimos, em vendas pequenas um alto nível de Vantagens pode levar ao sucesso porque há menos necessidade de construir valor antes de oferecer soluções — mas nas vendas maiores as Vantagens não têm esse impacto positivo. (É importante lembrar que o termo *Vantagem* para nós abrange qualquer declaração que mostre como um produto ou serviço pode ser usado ou ajudar o cliente; em outras palavras, o que estamos chamando de Vantagem é o que a maioria dos treinamentos de vendas chama de Benefício.)

Espero, à medida que aqueles que elaboram treinamentos começarem a entender que as vendas maiores precisam de habilidades diferentes, que o tipo de treinamento que encoraja vendedores a dar muitas vantagens desapareça. O uso intenso de Vantagens — que a maioria dos treinamentos recomenda — é a causa de mais da metade das objeções levantadas pelos clientes. Mas as objeções são necessariamente ruins? Alguns programas de treinamento em vendas e muitos treinadores, como o instrutor que descrevi no início deste capítulo, ensinam que as objeções estão positivamente ligadas ao sucesso e que quanto mais se recebe, melhor. Se isso for verdade, então evitar objeções poderia, realmente, prejudicar a venda. O que as evidências nos dizem?

Executamos um estudo para descobrir se as objeções seriam na realidade "oportunidades de vendas disfarçadas", como um programa de treinamento colocou. Contamos o número de objeções levantadas pelos clientes em um conjunto de 694 visitas coletadas de uma amostra internacional em uma grande corporação fabricante de computadores. A Figura 6.8 mostra os resultados.

Como é possível observar, quanto mais alta a porcentagem de objeções no comportamento do cliente, menor a probabilidade de sucesso da visita. Se as objeções são oportunidades disfarçadas de vendas, então este estudo sugere que esse disfarce deve ser criado por um mestre em camuflagem. Não, não se engane, quanto mais objeções alguém recebe em uma visita, menor a probabilidade de sucesso. É um mito cômodo para os treinadores dizer a vendedores inexperientes que os profissionais recebem bem objeções como sinal de interesse do cliente, mas na realidade uma objeção é uma barreira entre você e o seu cliente. Mesmo que seja possível desmantelar essa barreira lidando bem com objeções, seria mais inteligente não criá-la.

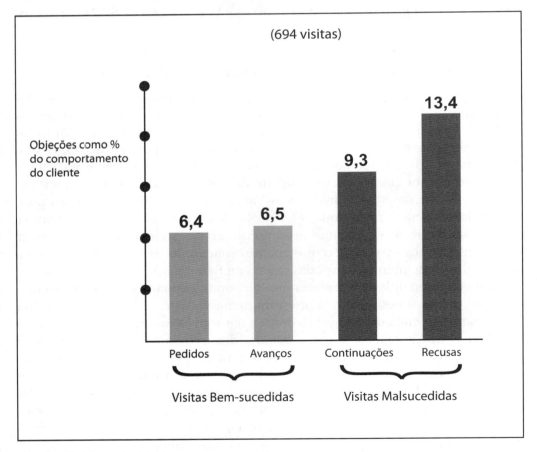

Figura 6.8. Níveis de objeção e sucesso nas visitas.

Benefícios e Apoio/Aprovação

A relação mais positiva evidenciada no estudo de Características, Vantagens e Benefícios de Linda Marsh é a forte ligação entre oferecer Benefícios e receber manifestações de aprovação ou apoio de clientes. Ela descobriu que quanto mais benefícios os vendedores apresentavam, mais declarações de aprovação seus clientes faziam. Este não é um achado surpreendente. Afinal, os Benefícios — como os definimos — envolvem mostrar como o vendedor pode atender a uma Necessidade Explícita que o cliente tenha expressado. A não ser que o cliente diga primeiro: "Eu quero isto", não se pode apresentar um Benefício. Não é se de admirar a grande probabilidade de os clientes expressarem aprovação quando alguém mostra que pode lhes dar algo que desejam.

Lidar com Objeções *versus* Preveni-las

A sugestão mais básica neste capítulo é que as velhas estratégias de *manejo* de objeções, que encorajam o vendedor a apresentar Vantagens, têm muito menos sucesso na venda maior que as estratégias de *prevenção* de objeções, quando o vendedor primeiro desenvolve valor usando Perguntas de Implicação e Necessidade de Solução antes de oferecer capacidades (Figura 6.9).

Quando eu era novato em vendas pensava que, depois do fechamento, as habilidades de manejo de objeções eram as mais importantes para o sucesso em vendas. Consigo agora perceber que minha preocupação era motivada pelo grande número de objeções que eu estava enfrentando. Eu não me perguntava o que causava as objeções — mas sabia que havia muitas, por isso achava que devia melhorar a forma de lidar com elas. Entendo agora que a maioria das objeções que enfrentava era apenas um sintoma causado pelas vendas fracas. Ao aprimorar minhas habilidades de sondagem, passei a ter mais êxito na prevenção de objeções — e isso certamente me ajudou a ter mais sucesso em vendas. É claro que ainda recebo objeções, pois em vendas haverá sempre o potencial para um desencontro genuíno entre as necessidades do cliente e o que um vendedor pode oferecer. Por isso, as habilidades de manejo de objeções serão sempre uma parte de minha atuação nas visitas. Mas vendo melhor agora, não por lidar melhor com objeções, mas porque tenho menos possibilidade de criar objeções desnecessárias.

Evitando as Objeções dos Clientes

Se você está recebendo mais objeções de clientes do que gostaria, considere qual é o sintoma e qual é a causa. As objeções são apenas um sintoma que você causou, oferecendo suas soluções cedo demais? Experimente fazer um esforço extra no desenvolvimento eficiente de necessidades, usando Perguntas de

Implicação e de Necessidade de Solução. Se você puder construir o valor de suas soluções, então será menos provável enfrentar objeções. Como centenas de vendedores que treinamos comprovaram, boas habilidades de formular perguntas o ajudarão mais nas objeções do que qualquer técnica de manejo de objeções.

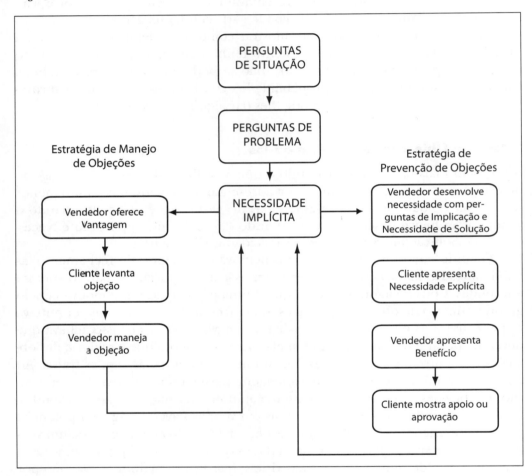

Figura 6.9. Condução de objeções ou prevenção?

Evidentemente, sempre haverá algumas objeções, principalmente quando um produto não atender as necessidades de um cliente. Entretanto, aqui estão dois sinais indubitáveis de que se está recebendo objeções *desnecessárias* que podem ser evitadas melhorando-se a capacidade de formular perguntas:

Evitando Objeções

1. *Objeções no início da visita.* Os clientes raramente fazem objeção a perguntas — a não ser que alguém tenha descoberto uma forma particularmente ofensiva de fazê-las. A maioria das objeções é feita a soluções que não se encaixam às necessidades. Se alguém está recebendo muitas objeções no início da visita, provavelmente isto significa que, em vez de fazer perguntas, está oferecendo soluções e capacidades prematuramente. A cura é bastante simples: Não falar de soluções até que sejam feitas perguntas suficientes para desenvolver necessidades fortes.

2. *Objeções sobre valor.* Se a maioria das objeções recebidas levanta dúvidas sobre o valor do que está sendo oferecido, então há boas chances de não se estar desenvolvendo necessidades suficientemente fortes. Objeções típicas de valor seriam "É caro demais", "Não acho que vale o incômodo de mudar de fornecedor", ou "Estamos satisfeitos com nosso sistema". Em casos como estes, as objeções do cliente dirão que não se conseguiu construir uma necessidade forte. A solução está em um melhor desenvolvimento de necessidades, e não no manejo de objeções. Principalmente quando se está recebendo muitas objeções de preço, deve-se reduzir o uso de Características e, em vez disso, concentrar-se em fazer Perguntas de Problema, de Implicação e de Necessidade de Solução.

7
Abertura: Iniciando a Visita

Neste capítulo, quero examinar mais atentamente a Abertura. Para ser honesto, a equipe de pesquisa da Huthwaite não achava o estágio da Abertura da visita muito interessante, quando comparado às áreas centrais de Investigação e Demonstração de Capacidade. Talvez este seja um viés pessoal nosso. De qualquer modo, isso significa que fizemos muito menos pesquisa sobre esse estágio que sobre os outros três (Figura 7.1). No entanto, mesmo os dados limitados que coletamos mostraram que formas bem-sucedidas de abrir a visita em uma venda simples são diferentes daquelas que funcionam melhor à medida que o tamanho da venda aumenta.

Qual é a importância do estágio de aquecimento da visita? Em nossa pesquisa sobre Abertura buscamos respostas a inúmeras perguntas, inclusive estas:

- É verdade que as primeiras impressões causadas em uma visita de vendas são cruciais para o seu sucesso?

Figura 7.1. Abertura: o estágio introdutório ou de aquecimento da visita.

- As aberturas bem-sucessidas em vendas menores funcionam igualmente bem nas vendas maiores?
- Determinada maneira funciona melhor que outras para abrir uma visita?

Antes de examinar essas perguntas, é preciso notar que ao discutir Abertura na venda maior, este capítulo simplifica a situação, tratando principalmente dos primeiros encontros com novos clientes. Como sabemos, evidentemente, a maioria das vendas maiores envolve várias visitas e provavelmente seja com clientes com quem já estabelecemos relacionamento. Com alguns grupos de vendedores de contas importantes que conheço, menos de 5% de suas visitas eram o primeiro encontro com novos clientes. Entretanto, os fatores que influenciam a Abertura na venda multi-visitas não foram pesquisados, até onde sei, por ninguém. Parece provável que à medida que o ciclo de vendas progride, seja com clientes antigos ou novos, o impacto da Abertura diminui porque a relação se tornou bem estabelecida. Contudo, ninguém sabe ao certo e prefiro evitar especulação.

Em conseqüência, vou me concentrar em áreas sobre as quais existem dados. Apesar de não termos pesquisas sobre o impacto da Abertura ao longo de um ciclo de vendas, temos informações sobre como abrir primeiras visitas a novos clientes tanto em vendas grandes quanto em pequenas.

Primeiras Impressões

Há evidências que sugerem que as pessoas reparam muito menos nos primeiros estágios de uma interação do que imaginamos. Muitos dos velhos livros sobre vendas enfatizam a importância de uma aparência inteligente e sugerem que as primeiras impressões levarão à venda, ou a impedirão, mas a maioria das pesquisas recentes sugere que as impressões iniciais são muito menos importantes do que os escritores antigos alegaram. Isso não quer dizer que compensa ser desleixado ou ter má aparência. Vestir-se razoavelmente bem é provavelmente sensato. Entretanto não acredito que detalhes mínimos farão uma grande diferença ao seu sucesso em vendas no estágio preliminar da venda. Como vimos, as impressões mais duráveis e de longe, mais importantes, formam-se durante o estágio de Investigação.

Nos primeiros estágios de uma interação com outra pessoa, geralmente estamos tão sobrecarregados de informações que nos esquecemos rapidamente de algumas coisas óbvias ou nem reparamos nelas. Quantas vezes você foi apresentado a alguém e, dez segundos depois, se esqueceu do nome dele ou dela? Por que você deveria se esquecer de algo tão importante quanto um nome? Porque sua mente está repleta de outras coisas, como o que você vai dizer em seguida. Não há espaço, literalmente, para todos os detalhes disponíveis. Muitas impressões potencialmente importantes são acumuladas nos momentos iniciais de um encontro.

É difícil obter dados exatos sobre a importância das primeiras impressões, por isso vou dar minha opinião a partir da observação do início de centenas de visitas de vendas. Inúmeras vezes observei visitas bem-sucedidas que começaram de modo indescritível e até esquisito e aberturas impecáveis não chegarem a lugar nenhum. Com o passar do tempo, chego a duvidar da importância das primeiras impressões durante o estágio preliminar da visita. Não acredito mais que as primeiras impressões possam fazer ou destruir o sucesso em vendas maiores.

Pode ser que coisas como a aparência ou as palavras iniciais sejam importantes em vendas bem pequenas. Um amigo estava fazendo uma venda de porta em porta de cartões de Natal, para captar recursos para uma instituição de caridade. Acredito nele quando diz que havia relação direta entre a maneira como os voluntários se vestiam e quanto vendiam. Um dia, contou ele, insistiu para que todos usassem suas melhores roupas. As vendas subiram 20%. Contudo, não espere que um terno elegante e uma boa frase de abertura acrescentem 20% ao seu volume de vendas, se você está vendendo para uma conta importante.

Aberturas Convencionais

Desde a década de 1920, os vendedores têm sido ensinados de que há duas formas bem-sucedidas de abrir uma visita:

- Relacionar-se com os interesses pessoais do comprador. A sabedoria convencional de vendas diz que se alguém puder, de alguma forma, tocar em uma área de interesse pessoal, então poderá formar um relacionamento mais rapidamente e o êxito da visita será maior. Por exemplo, se um comprador tem a fotografia dos filhos sobre a mesa, discutir assuntos da família; se há um troféu de golfe no escritório, falar sobre golfe.
- Fazer uma afirmação sobre o benefício na abertura. Começar com uma frase forte sobre os efeitos que o produto pode oferecer. Por exemplo, você poderia dizer: "Sr. Cliente, a produtividade no mercado atual é a preocupação central de executivos importantes como o senhor — e nosso produto contribuirá para a sua produtividade".

Nossas evidências sugerem que, embora esses dois métodos possam ter sucesso em vendas menores, há poucos indícios de que eles vão ajudar quando a venda é maior. Vamos analisar essas evidências.

Relacionando-se com Interesses Pessoais

Em um dos primeiros estudos da Huthwaite, executado parcialmente pelo Imperial Group, tentamos estabelecer se as pessoas que construíam bons relacionamentos, como resultado, fariam mais vendas. Descobrimos que os vendedores que lidavam com sucesso com pequenas lojas de varejo em áreas rurais pareciam contar bastante com fatores pessoais em suas vendas. Medimos o número de vezes que cada vendedor se referia a um fato ou incidente relacionado com a vida pessoal do cliente. Por exemplo, o vendedor poderia perguntar: "Ann está gostando das aulas de hipismo?" ou "A perna de Joe melhorou?". Em áreas rurais, onde o tamanho da venda era pequeno, os vendedores bem-sucedidos usavam mais referências pessoais do que aqueles que tinham menor sucesso. Logo, pudemos concluir com segurança a validade do antigo ditado: Se alguém faz referências a pontos de interesse pessoal, isso contribui com a venda.

Contudo, nas lojas grandes em zonas urbanas, onde a venda média era mais do que cinco vezes maior, era outra história. Não descobrimos relação entre sucesso e referência a questões pessoais. Portanto, parecia que estabelecer relação com os interesses pessoais do comprador poderia ser uma técnica menos eficaz em vendas maiores. Entretanto, eu não estava satisfeito com esse estudo. Por inúmeras razões técnicas, tivemos de ser cautelosos com nossa interpretação. Por exemplo, os vendedores rurais geralmente tinham tempo de casa mais longo e rotatividade mais baixa, o que significa que eles estavam no trabalho há mais tempo e, portanto, tinham mais oportunidade de descobrir informações pessoais sobre seus clientes. Os próprios clientes rurais eram menos ocupados que seus colegas em áreas urbanas; portanto, eles tinham mais tempo para conversar.

No entanto, este estudo levantou algumas questões. Possivelmente, isso era válido na década de 1920, data de publicação da teoria, quando as pessoas compravam daqueles com quem se relacionavam pessoalmente; amigos faziam negócio com amigos. Mesmo nos meros 15 anos que estudo vendas, notei uma mudança clara. Há 15 anos os compradores me diziam: "Compro de Fred porque gosto dele". Agora é muito mais provável que eu ouça: "Gosto de Fred, mas compro da concorrência porque o produto deles é mais barato". Parece que a lealdade pessoal não é mais uma base adequada para um negócio.

Há outra razão para não ser bem-sucedido ao abrir uma visita em torno de um ponto pessoal. Certa vez, trabalhei com o grupo central de compras da British Petroleum. Na parede de seu escritório, um dos compradores tinha a foto de um iate de corrida. "Eu o deixo aí porque ele melhora minha eficiência", ele me disse. Intrigado, pedi uma explicação. "Vendedores vêm aqui todos os dias", ele disse, "fazendo-me perder tempo com conversas sobre uma porção de questões que não são comerciais. Obviamente, eles estão tentando fisgar um comprador — e eu não posso dar conta de tudo se perder tempo em conversas que não estejam diretamente relacionadas aos negócios. Por isso, uso a foto para aumentar minha produtividade. Quando novos representantes de vendas me visitam pela primeira vez, eles geralmente dizem: 'Que bela foto. Você deve gostar realmente de andar de iate'. Eu respondo: 'Odeio andar de iate. Esta foto está aí para me lembrar do tempo que se perde na água. Agora, por que você queria me ver?'"

Talvez este seja um caso extremo, mas ouvi muitos outros compradores profissionais reclamarem de vendedores que começam visitas tentando cultivar áreas de interesse pessoal. A última coisa que um comprador ocupado deseja é dizer ao décimo vendedor do dia tudo sobre seu último jogo de golfe. Quanto mais tempo de casa tiverem as pessoas para quem se está vendendo, mais elas acharão que seu tempo está sendo desperdiçado, e é possível gerar mais impaciência, detendo-se em áreas não profissionais. Há, ainda, outra razão. Muitos compradores suspeitam de pessoas que começam levantando áreas de interesse pessoal. Eles acham que os motivos do vendedor não são sinceros o suficiente e que esta é uma tentativa de manipulação.

Não estou dizendo que não se deve jamais começar uma visita de vendas conversando sobre interesses pessoais de um comprador. Às vezes, principalmente se o comprador toma a iniciativa de falar de algo pessoal, é a coisa certa a fazer e, como vimos, pode haver um impacto geral positivo no sucesso em vendas menores, quando são levantadas questões pessoais. Como conselho geral, porém, sugiro o cuidado de não usar demais esse método em vendas maiores.

Declaração Inicial de Benefício

Muitos programas de treinamento em vendas ensinam que a maneira mais efetiva de começar a visita é fazer uma declaração inicial de benefício para atrair o interesse do comprador com um benefício potencial de seu produto ou serviço. Por isso, eu poderia dizer: "Sr. Wilson, para um executivo ocupado como o senhor, eu sei que tempo é dinheiro e estou certo de que gasta muito tempo procurando números de telefone e discando. Com o Discador Automático Rackham eu poderia ajudá-lo a poupar tempo". Se for bem feita, a declaração inicial do benefício pode parecer positiva e profissional. Entretanto esta é uma forma efetiva de abrir visitas?

Embora a idéia da declaração inicial de benefício seja bem antiga — consegui identificá-la há 30 anos e poderia retroceder ainda mais — sua enorme popularidade como abertura foi trazida pelo programa Sistema de Aprendizagem Xerox, o Professional Selling Skills (PSS). Esse programa foi amplamente utilizado e seus desenvolvedores alegaram que as pesquisas mostravam que as visitas tinham mais probabilidade de serem um sucesso se começassem dessa forma — usando, como eles a chamaram, uma Declaração Inicial de Benefício. Não verifiquei a pesquisa em detalhes, por isso não posso comentar sobre sua validade. No entanto, sei que a investigação sobre a qual o programa se baseou aconteceu no setor farmacêutico — em que o tempo médio de visita era de apenas seis minutos. Se alguém tem apenas seis minutos de tempo do comprador, então certamente é preciso uma forma concisa de ir direto ao ponto da visita.

Contudo, o mesmo poderia ser válido em vendas maiores, quando a visita individual dura, em média, quarenta minutos? A Huthwaite começou a investigar esse fato. Observamos mais de trezentas visitas, notando se o vendedor usava ou não a declaração inicial sobre o benefício. Então, usando o procedimento descrito no Capítulo 1, dividimos as visitas entre aquelas que deram certo e as que não deram. Se as declarações de benefício feitas de início tornassem as visitas mais bem-sucedidas, como o programa PSS alegava, então deveríamos constatar que as visitas malsucedidas tiveram menos declarações iniciais de benefício que aquelas que tiveram êxito. Não foi o que constatamos. Em nossos estudos, não houve relação, em um sentido ou em outro, entre o uso das declarações iniciais de benefício e o sucesso da venda.

Por que esse método que parece útil, da declaração inicial de benefício, não estaria relacionado ao sucesso? Decidimos examinar mais detalhadamente.

O que descobrimos foi o seguinte: os vendedores mais bem-sucedidos que estudamos abriam cada visita de uma forma diferente. Às vezes, eles usavam uma declaração de benefício no início, mas freqüentemente usavam outro ponto de partida. Pessoas menos eficazes eram aquelas que tendiam a abrir toda visita da mesma forma. Era provável então que os vendedores que começavam todas as visitas com uma declaração inicial de benefício fossem menos bem-sucedidos que aqueles que usavam a técnica ocasionalmente.

Vendas maiores significam multi-visitas — com freqüência, várias ao mesmo cliente — logo, é extremamente importante não usar uma abertura-padrão mais de uma vez com a mesma pessoa. Posso lembrar-me do quanto fiquei impressionado com um vendedor de uma empresa de produtos para escritório quando ele me visitou pela primeira vez. Ele começou com uma declaração clássica de benefício: "Sr. Rackham, o senhor é um executivo ocupado e tenho certeza de que está pensando se vale a pena perder 15 minutos de seu tempo para conversar comigo. Contudo, se, como resultado desses 15 minutos, o senhor economizar vários milhares de dólares para a empresa, vai concordar que foi um tempo bem gasto". Dei-lhe então os 15 minutos e fiquei bastante impressionado com seu produto a ponto de marcar com ele outra visita na semana seguinte. Nessa visita, na presença de meu gerente, ele começou: "Sr. Rackham, sei que é ocupado, mas se puder usar 15 minutos de seu tempo para mostrar como sua empresa pode economizar milhares de dólares...". A própria abertura que causou uma impressão tão positiva da primeira vez agora parecia mecânica e irritante.

Há outra razão para a declaração inicial de benefício ser ineficaz. Vendedores bem-sucedidos falam de seus produtos ou serviços mais tarde na visita de vendas, mas vimos que pessoas não tão bem-sucedidas começam a falar de produtos e soluções muito cedo. Lembro agora desse ponto porque ele aborda um dos perigos de se usar declarações iniciais de benefício. Vejamos este exemplo simples:

> VENDEDORA: *(usando declaração inicial de benefício)* Sr. Buzzard, nós da Big Co sabemos quanto é importante produzir documentos com aparência profissional em um negócio como o seu. É por isso que inventamos a máquina de digitação Executype. Usando um novo sistema especial, a Executype dá um acabamento muito mais refinado aos seus documentos do que se podia obter com processadores de textos convencionais.
> COMPRADOR: *(fazendo perguntas)* Ah. Ela usa uma esfera margarida?
> VENDEDORA: *(Introduzindo detalhes do produto)* Não, é um processo de jato de tinta.
> COMPRADOR: *(ainda fazendo perguntas)* Jato de tinta? Isso deve ser muito caro, Sra. Simpson. Quanto custa?
> VENDEDORA: *(forçada a entrar na questão de preço logo no início da visita)* É... bem, é um pouco mais cara que os métodos convencionais, mas também tem...

O que aconteceu? Ao fazer uma declaração inicial de benefício, a vendedora caiu na armadilha de duas formas:

- Ela foi forçada a falar sobre detalhes do produto cedo demais, antes de ter a oportunidade de construir valor, usando perguntas **SPIN**.
- Ela permitiu que o *comprador* fizesse perguntas e, portanto, deixou-o assumir o controle da discussão.

Nenhuma dessas armadilhas é irreversível. Se ela for esperta, a Sra. Simpson vai retomar a visita, assumir o papel de fazer perguntas no lugar do comprador e desviar a atenção do produto e voltar às necessidades do cliente. No mínimo, essa não é uma boa maneira de começar a venda. No entanto, tenho visto pessoalmente muitas visitas começarem dessa forma porque o vendedor usou uma declaração de benefício.

Uma Estrutura para Abrir a Visita

Até aqui, muito deste capítulo foi negativo — como não lidar com o estágio da Abertura da visita. Agora, vamos voltar nossa atenção aos aspectos positivos. O que a pesquisa da Huthwaite recomenda como a melhor forma de abrir visitas? Obviamente, como sugeri, variar é importante. Não existe uma única técnica melhor de abertura. No entanto, há uma estrutura que as pessoas bem-sucedidas usam.

Focando o Objetivo

Vamos examinar o objetivo do estágio de Abertura de uma visita. Qual é o propósito de uma abertura? De maneira mais simples, o que você está tentando fazer é obter o consentimento do cliente para passar para a próxima fase — o estágio de Investigação. Queremos que os clientes concordem que é legítimo fazer algumas perguntas a eles. Para tanto, é preciso estabelecer:

- Quem é você
- Por que você está aqui (sem dar detalhes de produto)
- Seu direito de fazer perguntas

Obviamente, há várias maneiras de abrir a visita, mas o fator comum à maioria das aberturas é que elas levam o cliente a concordar que você deveria fazer perguntas. Ao fazer isso, boas aberturas o impedem de entrar em argumentações detalhadas sobre produtos ou serviços. No início da visita, você deve estabelecer seu papel como alguém que busca informações e o papel do comprador como aquele que as fornece.

Tornando as Aberturas Eficazes

As Aberturas, como vimos, não desempenham papel crucial na venda maior. O teste mais importante para determinar se as Aberturas estão sendo conduzidas com eficiência é se os seus clientes estão contentes, de modo geral, em ir em frente e responder às perguntas. Nesse caso, você provavelmente esteja lidando com esse estágio da visita de uma forma aceitável. Não é preciso se preocupar em parecer fino e educado — alguns dos melhores vendedores que estudamos pareciam nervosos, preocupados consigo, ou hesitantes nos primeiros minutos da visita. Contudo, é preciso preocupar-se com os três pontos a seguir:

1. Passe rapidamente aos negócios. Não perca tempo. O estágio da Abertura não é a parte mais produtiva da visita para você nem para seu cliente. Um erro comum, principalmente de vendedores inexperientes, é gastar tempo demais em amabilidades. Como resultado, acaba faltando tempo para a visita — o cliente precisa parar justamente quando se está chegando ao ponto crítico. Se você percebe que não teve tempo suficiente para a visita, vale a pena se perguntar se está passando rapidamente aos negócios. Embora não exista nenhuma medida exata do tempo que se deveria gastar para iniciar uma visita, eu ficaria preocupado com alguém que passasse sempre mais do que 20% do tempo da visita com a abertura.

Abertura: Iniciando a Visita

Não sinta que ofenderá clientes passando logo aos negócios. Uma reclamação que ouço com freqüência de executivos seniores e compradores profissionais é que os vendedores gastam seu tempo com papo furado. Acho que nunca ouvi uma reclamação pelo fato de o vendedor ter ido direto ao assunto.

2. **Não fale em soluções logo no início.** Uma das falhas mais comuns em vendas é falar sobre as soluções e capacidades cedo demais. Como vimos nos capítulos anteriores, oferecer soluções cedo demais gera objeções e reduz demais as chances de sucesso da visita. Quantas vezes você se vê discutindo produtos, serviços ou soluções com o cliente durante a primeira parte da visita? Se isso acontece com freqüência, então pode ser sinal de que não está lidando satisfatoriamente com a Abertura.

    Se, em seu caso, geralmente é o cliente quem faz as perguntas e você está no papel de fornecer dados e explicações, então é provável que não tenha estabelecido direito o seu papel de indagador durante a Abertura. É preciso questionar se a abertura da visita estabelece que é você quem deveria fazer as perguntas. Se isso não estiver firmado, deve-se mudar a forma de abrir visitas de modo que o cliente aceite que você fará algumas perguntas antes de falar sobre as capacidades que pode oferecer.

3. **Concentre-se nas perguntas.** Nunca se esqueça de que as Aberturas não são a parte mais importante da visita. Com freqüência, quando viajo com vendedores, noto que eles perdem tempo antes de uma visita, preocupando-se em como deveriam abri-la quando poderiam usar esse tempo de maneira muito mais satisfatória para planejarem algumas perguntas.

8
Transformando Teoria em Prática

Uma de minhas palavras preferidas, *enteléquia*, é tão pouco conhecida que os ouvintes correm ao dicionário sempre que a uso. É uma pena, porque a palavra preenche uma falha séria na língua inglesa e merecia estar em circulação no dia-a-dia. Significa tornar real o que é potencial — transformar algo em utilidade prática, em oposição à elegância teórica. Enteléquia é o assunto deste capítulo — transformar os potenciais da pesquisa da Huthwaite em ações que poderão ser úteis na prática, nas vendas.

Não há maneira fácil de converter modelos teóricos em habilidades práticas. O fato de você estar lendo este livro não significa que o conhecimento que está adquirindo se traduzirá automaticamente em capacidades aprimoradas de vendas. Nenhum livro sobre vendas vai, aprimorar as habilidades em vendas, assim como um livro sobre natação não o ensinará a nadar. O desafio tanto para o autor quanto para o leitor de qualquer livro com pretensões de ser prático é a enteléquia — transformar a teoria em ação prática.

Para atender a parte desse desafio, usarei como base minha experiência em treinamento de milhares de pessoas no mundo todo para aprimorar suas habilidades de vendas. Neste capítulo, dividirei com você alguns dos princípios e práticas que funcionaram conosco e com nossos clientes. Seu desafio é mais duro, porque aprimorar suas habilidades é um trabalho difícil: não existe uma fórmula instantânea para vender melhor. O sucesso em qualquer habilidade — golfe, piano ou vendas — reside na prática concentrada, tediosa e frustrante. É realista esperar um aumento significativo em seus resultados de vendas se você seguir os conselhos deste livro e *praticar* as habilidades, mas esta é a parte difícil. Para cada leitor que praticar de maneira adequada, as orientações descritas neste livro, haverá dezenas deles que provavelmente vão parar no meio do caminho.

As Quatro Regras de Ouro para Aprender Habilidades

Por que as pessoas consideram difícil aprender habilidades? Não é apenas pelo trabalho duro, pois estamos acostumados a nos esforçar para adquirir novos conhecimentos. Você já demonstrou a capacidade de se empenhar com afinco, pelo tempo e pela energia que investiu na leitura deste livro — ao adquirir *conhecimento* sobre como vender. No entanto, não sei quantos leitores investirão o mesmo esforço para transformar o conhecimento em prática. O triste fato é que geralmente trabalhamos mais e de forma mais eficiente para adquirirmos conhecimentos do que para traduzirmos conhecimento em habilidades. Talvez *entelequia* seja uma palavra tão rara por se referir a algo que raramente fazemos.

Pessoalmente, acredito que a principal razão para as pessoas terem tanta dificuldade em aprimorar suas habilidades seja o fato de que elas nunca pensaram em técnicas básicas de aprendizado de habilidades. Na escola nosso sucesso dependia do desenvolvimento de técnicas para aprender conhecimento — e a maioria de nós fazia um bom trabalho. O que a escola fez para nos ajudar a aprender habilidades sistematicamente? Com a exceção de esportes, a resposta da maioria das pessoas é pouca coisa ou nada. Por isso, antes de falar sobre *quais* habilidades você deveria praticar, será útil começar pelo *como*. Como aprender *qualquer* habilidade com eficiência e com o mínimo de sofrimento?

Descobrimos que a maioria das pessoas pode aprimorar imensamente a capacidade de aprender habilidades se elas seguirem quatro regras simples.

Regra 1: Pratique Apenas Um Comportamento por Vez

A maioria das pessoas, quando trabalha para aprimorar suas habilidades, tenta fazer demais de uma só vez. Consigo imaginar pessoas lendo este livro e dizendo: "Vou eliminar as técnicas de fechamento, e no futuro farei mais Perguntas de Problema. Então, em vez de ir logo para as soluções — que é o que geralmente faço — vou me deter e fazer Perguntas de Implicação... ah, e Perguntas de Necessidade de Solução também, é claro. E também trabalharei para evitar Características e Vantagens; em vez disso, apresentarei mais Benefícios e..." *Pare*! Se é assim que você está pensando, em termos de aprendizagem, está perdido. As pessoas que aprendem habilidades complexas fazem isso praticando um comportamento por vez — e não praticando mal dois, e certamente não tentando lidar com dez de uma só vez.

No ano passado, eu estava em um vôo para a Austrália e me vi sentado do lado oposto de um homem adorável chamado Tom Landry. Como inglês, meus esportes são críquete e croquete — eu não entendia nada de futebol americano. Em conseqüência, só depois de muita conversa soube que o sr. Landry era um famoso treinador de futebol. Confesso que, até aquele momento, pensava que Dallas Cowboys fosse uma apresentação de rodeio. Fiquei fascinado quando Tom Landry explicou um pouco sobre a tarefa complexa e difícil de treinar um importante time de futebol.

"Sua função é ensinar habilidades a pessoas", eu lhe disse. "Se você tivesse de selecionar apenas um princípio para aprender com sucesso uma habilidade, qual seria?" Ele não hesitou. "Trabalhar com uma coisa por vez", ele respondeu. "E fazer direito". Benjamin Franklin disse o mesmo em 1771. Em sua *Autobiografia*, ele dá um relato magistral de como dividir uma habilidade complexa em seus comportamentos componentes e então como trabalhar para aprimorar um comportamento por vez. Com autoridades como Franklin e Landry para me apoiar, não hesito em apresentar como o primeiro e mais importante princípio para que este livro tenha serventia:

Comece escolhendo um comportamento para praticar. Não passe para o seguinte até ter confiança de que conseguiu dominar o primeiro comportamento.

Regra 2: Experimente o Novo Comportamento pelo Menos Três Vezes

A primeira vez que se experimenta algo novo, a tendência é sentir-se constrangido. Não são apenas os sapatos que doem no início.

Suponhamos, por exemplo, que alguém decida praticar Perguntas de Implicação. Com a Regra 1 em mente, deve-se concentrar somente nas Perguntas de Implicação, e não em outros comportamentos.

Lá vai você para uma visita. As novas Perguntas de Implicação estão na ponta da língua, em uma seqüência convincente? De jeito nenhum! Quando você as faz, parece inseguro, artificial e esquisito. E, por causa disso, não causa nenhuma impressão positiva no cliente. Após a visita, se você for como a maioria das pessoas que treinei, ficará tentado a concluir que as Perguntas de Implicação não o ajudaram a vender — por isso é melhor abandoná-las e tentar algo diferente na próxima visita.

Se esta for a sua conclusão, evidentemente, você estará cometendo um grande erro. É preciso tentar qualquer comportamento novo várias vezes até tê-lo praticado o suficiente para se sentir à vontade e eficiente. A nova habilidade precisa ser "subdividida". Não é apenas em vendas que isso acontece. Quando tentamos aprimorar uma habilidade nova, à primeira vista, isso nos parece esquisito e nem sempre dá certo. Certa vez perguntei a uma amostra de duzentas pessoas que tinham feito aulas de golfe com um profissional se sua atuação logo depois foi melhor ou pior. De duzentas, 157 disseram que tiveram pontuação *pior* depois da aula.

Qual é o remédio? O princípio que uso pessoalmente — e que a Huthwaite recomenda àqueles que treinamos — é o seguinte:

Nunca julgue se um novo comportamento funciona até você tê-lo experimentado pelo menos três vezes.

Regra 3: Quantidade Antes da Qualidade

Lembra-se da velha forma de aprender uma língua estrangeira? Você tenta dizer algumas palavras. "Não", diz seu professor, "o tempo verbal está errado — você deveria usar um pretérito perfeito." Você tenta de novo. "Errado", o professor o adverte, "você usou o tempo certo, mas este é um verbo irregular." Com certo nervosismo você faz uma terceira tentativa. "Não", seu professor lhe diz: "desta vez o tempo está certo e o verbo está certo, mas sua pronúncia está horrível." Note que todos os comentários do professor são sobre a *qualidade* de sua habilidade. Muitos de nós lutamos durante anos para aprender uma língua dessa forma. No final conseguimos, hesitantes, mas corretamente, pronunciar algumas sentenças com os verbos, tempos e ordem das palavras corretos. A maioria de nós nunca chegou ao ponto, apesar de vários anos de ênfase na qualidade, em que se consegue falar uma língua com confiança e tranqüilidade.

Em contraste, vamos examinar um treino moderno de língua estrangeira. Os alunos são instruídos: "Não importa a pronúncia, e não se preocupem com os tempos verbais. Por ora, a ordem não importa e não ligamos se vocês esquecerem as diferenças entre verbos regulares e irregulares. A única coisa que queremos que vocês façam é falar, falar e falar". A ênfase, em outras palavras, está na quantidade e não na qualidade — falar *muito* é mais importante que falar *bem*. Muitas experiências convincentes mostram que essa abordagem, que coloca a ênfase na *quantidade* da fala, pode acelerar imensamente a aprendizagem de habilidades da linguagem. Depois de apenas um ano, os alunos estão falando a nova língua com mais confiança que aqueles que passaram cinco vezes mais tempo aprendendo à moda da qualidade primeiro. O que é mais surpreendente ainda é que, ao falarmos bastante uma língua, a qualidade também melhora. De fato, a correção da linguagem, medida por testes de pronúncia e gramática, é superior naqueles que aprendem pela abordagem da quantidade que naqueles que aprendem pelos velhos métodos de qualidade. Por isso, em treinamento de língua, pelo menos, falar muito é mais importante que falar bem.

O mesmo princípio se aplica a uma habilidade como vendas? Sim — sem dúvida. Nossos estudos têm sido consistentes em mostrar que a forma mais rápida de aprender um novo comportamento de vendas é pelo uso de um método quantitativo. Vou dar um exemplo do que quero dizer. Havia uma empresa multinacional conhecida, cujo nome, para proteger a culpa, é melhor manter anônimo. Essa empresa gostou do Modelo **SPIN** e queria produzir um programa de treinamento em vendas com base nele. Os arquitetos do programa gastaram nove meses produzindo uma extravagância de $650 mil que deveria ser a última palavra em treinamento de vendas. *Qualidade* era o lema deles. Então, por exemplo, no programa deles não se podia fazer Perguntas de Problema. Ah, não, aquilo não daria certo porque você poderia não fazer perguntas com a *qualidade* certa. Em vez disso, eles elaboraram um modelo de quatro estágios sobre como fazer uma Pergunta de Problema, com especial atenção a três formas em que as Perguntas de Problema poderiam estar ligadas a Perguntas de Situação, e com outras técnicas variadas para assegurar que toda Pergunta de Problema — quando o pobre do aluno conseguisse fazê-la — tivesse a qualidade certa. O resultado desses esforços foi um modelo de vendas de 74 etapas que era tão desmotivador e complicado que o piloto nem foi concluído, pois os aprendizes confusos e irritados o abandonaram. Acompanhando os estudantes em campo, posteriormente, descobrimos que eles faziam uma média de 1,6 Perguntas de Problema, o que não era diferente do nível pré-treinamento.

A Huthwaite — talvez por não termos participado desse design monstruoso — foi selecionada para ser a mensageira das más notícias para a sede corporativa. Tive de dizer ao executivo que ele gastou a maior parte de seu orçamento de treinamento em um programa que era tão ruim que nem pôde passar pelo teste piloto. Quando sua fúria inicial amainou, cedendo lugar a um murmúrio sutil, ele conseguiu perguntar: "O que faremos?". Sugerimos que, por muitíssimo menos que um décimo do custo, poderíamos elaborar um programa mais efetivo. "Concentre-se na *quantidade*", aconselhei. "E você terá os resultados que está procurando". Sem dúvida, apenas dois meses depois tínhamos um programa com base em métodos que lembravam muito o treino efetivo de língua estrangeira. Não ligávamos se as perguntas eram bem ou mal formuladas, mas *era* importante que as pessoas fizessem muitas delas. No final do treinamento, nas últimas dinâmicas, os alunos estavam fazendo dezenas de Perguntas de Problema. De volta ao campo, as propostas da vida real de clientes logo lhes disseram quais dessas perguntas funcionavam melhor e — como no treino de língua estrangeira — a qualidade melhorou acentuadamente. O programa de $650 mil com base na qualidade foi abandonado, e nosso programa barato, mas eficaz, com base na quantidade, foi adotado em seu lugar em todas as três maiores divisões da empresa.

Exatamente o mesmo princípio se aplica à sua própria venda quando você está tentando aprender um novo comportamento:

Quando você está praticando, concentre-se na quantidade; use *muito* os novos comportamentos. Não se preocupe com questões de qualidade, como se você está usando um comportamento com tranqüilidade ou se

pode haver uma maneira melhor de empregá-lo. Essas coisas atrapalham o aprendizado efetivo de habilidades. Use o novo comportamento com freqüência suficiente e a qualidade cuidará de si.

Regra 4: Pratique em Situações Seguras

Certa vez, dirigi um programa de habilidades de negociação para presidentes de uma empresa. No último dia, um dos participantes me fez uma pergunta que parecia inocente. "Amanhã", explicou ele, "farei a maior negociação de minha carreira — estou vendendo minha empresa. Em que lições deste programa eu deveria me concentrar durante a negociação?" Acho que minha resposta o chocou. "Esqueça tudo o que ouviu neste programa", eu o aconselhei; "caso contrário, você passará o resto de sua vida se arrependendo por ter vindo aqui."

Vou lhe dar um conselho parecido. Se você acaba de ler este livro e vai visitar sua conta mais importante, então esqueça tudo o que leu. Uma estranha peculiaridade da natureza humana geralmente nos leva a praticar novas habilidades em situações-chave, aquelas importantes o suficiente para justificar uma tentativa nova. Trata-se de um erro horrível. Como vimos, novas habilidades são incômodas e esquisitas. Elas podem até ter um efeito negativo no cliente. Se você experimentá-las em situações cruciais, então provavelmente não se sairá bem. Suponha que você tenha decidido fazer mais Perguntas de Necessidade de Solução. Não pratique em sua maior conta. Em vez disso, comece com pequenas contas, ou com clientes que você conhece bem, ou em áreas onde você não tenha nada a perder se fracassar. Em outras palavras:

Tente sempre novos comportamentos em situações seguras até que eles se tornem naturais. Não use vendas importantes para praticar novas habilidades.

Essas regras podem ser seqüenciadas a fim de fornecer uma estratégia simples para você aprender ou aprimorar suas habilidades (Figura 8.1). Embora meu propósito aqui seja o aprimoramento das habilidades de venda, essas quatro regras básicas o ajudarão a aprimorar *qualquer* habilidade, de fazer amor a pilotar aviões.

Um Resumo dos Estágios da Visita

Vamos resumir os pontos-chave feitos em capítulos anteriores.

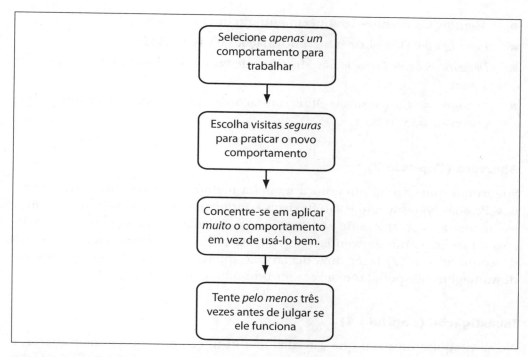

Figura 8.1. Estratégias para aprender uma nova habilidade.

Quatro Estágios de uma Visita de Vendas (Capítulo 1)

Quase toda visita de vendas passa por quatro estágios distintos (Figura 8.2):

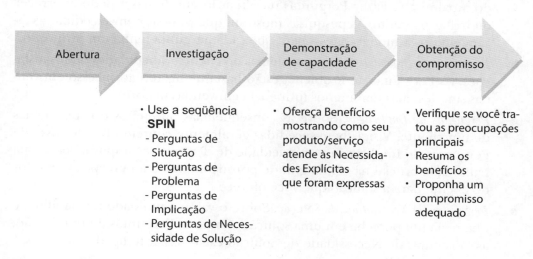

Figura 8.2. Estágios de visita.

- *Abertura.* Os eventos de aquecimento no início da visita
- *Investigação.* Descobrir fatos, informações e necessidades
- *Demonstração de Capacidade.* Mostrar que você tem algo a oferecer que vale a pena
- *Obtenção de Compromisso.* Obter um acordo que o levará para um estágio posterior da venda

Abertura (Capítulo 7)

Sugerimos que não há uma única maneira melhor de abrir uma visita de vendas. Pessoas bem-sucedidas são flexíveis e raramente abrem duas visitas da mesma maneira. As técnicas de abertura recomendadas pelos programas tradicionais de treinamento em vendas — (1) fazer referências aos interesses pessoais do comprador e (2) fazer uma declaração inicial do benefício — apresentam desvantagens inesperadas e devem ser utilizadas com cautela.

Investigação (Capítulo 4)

Nossa pesquisa mostrou que a tradicional distinção entre perguntas abertas e fechadas não é indicativa de sucesso em vendas maiores. Em vez disso, descobrimos a seqüência **SPIN** de perguntas que pessoas bem-sucedidas usam para descobrir e desenvolver necessidades do cliente na venda grande:

- *Perguntas de Situação.* Sobre fatos, antecedentes e o que o cliente está fazendo atualmente. Fazer Perguntas de Situação em demasia pode aborrecer ou irritar o cliente. As pesquisas mostram que pessoas bem-sucedidas as fazem em doses moderadas — para que cada pergunta tenha um propósito.
- *Perguntas de Problema.* Sobre problemas do cliente, dificuldades ou insatisfações. As Perguntas de Problema estão bastante ligadas ao sucesso em vendas simples, mas têm menos influência em vendas maiores.
- *Perguntas de Implicação.* Sobre as conseqüências ou efeitos dos problemas de um cliente. Visitas bem-sucedidas geralmente contêm um alto nível de Perguntas de Implicação. A capacidade de desenvolver implicações é uma habilidade crucial na venda grande porque aumenta a percepção de valor do cliente para a solução que você oferece.
- *Perguntas de Necessidade de Solução.* Sobre o valor, a utilidade ou viabilidade que o cliente percebe em uma solução. Como as Perguntas de Implicação, as Perguntas de Necessidade de Solução estão bastante ligadas ao sucesso na venda grande.

Transformando Teoria em Prática **171**

O Modelo **SPIN** é utilizado freqüentemente em seqüência, a começar pelas Perguntas de Situação, para estabelecer os antecedentes, em seguida as Perguntas de Problema para, detectar dificuldades, depois as de Implicação, para desenvolver a gravidade de um problema e finalmente as de Necessidade de Solução, para fazer o cliente *lhe* dizer os benefícios de sua solução. Entretanto, a seqüência **SPIN** não é uma fórmula rígida. Para ser efetiva, ela deve ser utilizada com flexibilidade.

Demonstração de Capacidade (Capítulo 5)

A definição tradicional de Benefício — declaração que mostra como seu produto pode ser utilizado ou ajudar o cliente — funciona em vendas pequenas, mas não quando as vendas se tornam maiores. Em vendas maiores, o tipo mais efetivo de Benefício mostra como seu produto ou serviço atende a uma Necessidade Explícita expressa pelo cliente.

Obtenção de Compromisso (Capítulo 2)

Técnicas de fechamento são efetivas em vendas menores, mas não funcionam nas maiores. Nossos estudos mostraram que a maneira mais simples de obter o compromisso também é a mais efetiva:

- *Verifique* se você cobriu as preocupações principais do comprador.
- *Resuma* os Benefícios.
- *Proponha* um nível adequado de compromisso.

Uma Estratégia para Aprender os Comportamentos SPIN

Meus colegas na Huthwaite trabalharam com milhares de pessoas de vendas, ajudando-as a usarem os métodos descritos neste livro. Experimentamos dezenas de abordagens diferentes de treinamento. Em grandes corporações geralmente adotamos projetos que fazem uso muito sofisticado de técnicas avançadas de aprendizagem. No outro extremo, também tentamos desenvolver algumas maneiras simples de ajudar vendedores a aprimorarem suas habilidades. Aliás, não há nada gratuito no ramo de treinamentos. É uma dura realidade que nossos projetos de treinamento mais elaborados e sofisticados geralmente tragam ganhos de produtividade muito melhores que os mais simples, e isso nos tem deixado um pouco constrangidos para recomendar as etapas simples no aprimoramento de suas habilidades.

Mesmo assim, existem algumas maneiras bem fáceis, de bom senso, para aproveitar as descobertas de pesquisa abordadas neste livro e transformá-las em prática útil. Descobrimos que as pessoas, invariavelmente, consideram úteis os seguintes conselhos de implementação.

Foco no Estágio de Investigação

Muitas pessoas, quando planejam visitas, pensam no que *dirão* ao cliente, e não sobre o que perguntarão. Elas se concentram, em outras palavras, no estágio de Demonstração de Capacidade da visita. Isso é um erro. Por melhor que demonstre capacidade, você terá pouco impacto se não tiver desenvolvido as necessidades primeiro — de modo que o cliente *queira* a capacidade que você está oferecendo. Isso também é válido para o estágio de Obtenção de Compromisso; se o cliente não quiser o que você tem a oferecer, você terá dificuldade para obter compromisso. Concentre seus esforços no estágio de Investigação. Pratique habilidades de fazer perguntas, e geralmente não precisará se preocupar com os outros estágios da visita. Se você sabe como desenvolver necessidades — para que seus clientes *queiram* as capacidades que você oferece —, então não será difícil mostrar os Benefícios ou Obter o Compromisso deles. A principal habilidade de vendas está no estágio de Investigação, usando perguntas **SPIN** para que seus clientes alimentem uma necessidade genuína pelo seu produto.

Desenvolva Perguntas na Seqüência SPIN

Não se apresse em praticar as Perguntas de Implicação e Necessidade de Solução, que são muito fortes, até sentir que tem pleno domínio e se sente à vontade para fazer as perguntas mais simples de Situação e de Problema.

1. Primeiro decida se está fazendo perguntas o suficiente de *qualquer* tipo. Se você construiu padrões de vendas que envolvem dizer — em outras palavras, se está apresentando muitas Características e Vantagens —, então comece apenas fazendo mais perguntas. A maioria das perguntas que você faz será de Situação, mas está bem. Continue fazendo perguntas durante algumas semanas até se sentir tão à vontade quanto nos momentos em que você fala.

2. Em seguida, planeje e faça Perguntas de Problema. Na visita média, procure perguntar a um cliente sobre problemas, dificuldades e insatisfações pelo menos umas seis vezes. Concentre-se na construção da *quantidade* de suas Perguntas de Problema; não se preocupe se a pergunta é ou não boa.

3. Se acha que está detectando bem os problemas do cliente, é hora de passar para as Perguntas de Implicação. Estas são mais difíceis de fazer, e talvez precise praticar durante alguns meses antes de se sentir totalmente à vontade com elas. Planeje-as cuidadosamente.

Um ponto de partida seria reler o exemplo transcrito na seção "Perguntas de Implicação" do Capítulo 4. Então, no lugar do problema naquela seção, coloque um problema seu que um de seus produtos poderia resolver para um cliente. Usando as perguntas na transcrição como um modelo, tente escrever alguns exemplos de Perguntas de Implicação que poderiam ser feitas com a finalidade de o cliente considerar o problema sério o suficiente para justificar a ação... Quando estou planejando Perguntas de Implicação, acho útil imaginar um cliente que esteja dizendo "E daí? Sim, já tive esse problema — mas não acho que isso seja sério". Faço uma lista dos argumentos que usaria para convencer o cliente de que o problema é realmente sério — está causando perda de eficiência, está aumentando os seus custos e desmotivando seus melhores funcionários. Então, transformo cada um de meus argumentos em uma pergunta — "qual o impacto do problema em sua eficiência?" e "Quanto ele está aumentando seus custos?" e "Que impacto isso tem na motivação de seus melhores funcionários?".

4. Finalmente, quando se sentir à vontade com as Perguntas de Situação, Problema e Implicação, volte a atenção para as Perguntas de Necessidade de Solução. Em vez de oferecer Benefícios ao cliente, concentre-se em fazer perguntas que o levem a *lhe* dizer os Benefícios. Faça perguntas como estas:

    Como isso o ajudaria?

    Que vantagens você vê nesta abordagem?

    Há outra forma de nosso produto lhe ser útil?

    Novamente, não se preocupe se está fazendo *bem* as Perguntas de Necessidade de Solução. Concentre-se na quantidade — em fazer *muitas* delas.

Analise Seu Produto em Termos de Solução de Problemas

Pare de pensar em seus produtos em função de suas Características e Vantagens. Em vez disso, pense em cada produto em termos de suas capacidades de solução de problemas. Analise os produtos enumerando os problemas que eles devem resolver. Então, use sua lista para planejar perguntas que você possa usar em visitas. Ao pensar em seus produtos dessa forma, você achará mais fácil adotar um estilo de questionamento **SPIN**.

Planeje, Faça e Avalie

A maioria dos vendedores reconhece a importância de planejar visitas mesmo que, na realidade, seu planejamento não seja mais que alguns momentos de ansiedade antes da visita. Entretanto, planejar a visita e fazê-la traz um aprendizado limitado. As lições mais importantes vêm da forma como você *avalia* as visitas que faz. Após cada visita, pergunte-se:

- Atingi meus objetivos?
- Se fosse fazer a visita novamente, o que eu faria de diferente?
- O que eu aprendi que influenciará as futuras visitas nesta conta?
- O que eu aprendi que posso usar em outro lugar?

Infelizmente, poucos de nós se dão tempo suficiente para fazer perguntas como essas de maneira sistemática. Com os anos, tenho tido a oportunidade de viajar com dezenas dos melhores vendedores do mundo — e, como pesquisador, tenho procurado diferenças que os distinguem daqueles que não chegaram ao topo. Duas diferenças são ressaltadas. A primeira é que os melhores com quem viajei colocam enorme ênfase em avaliar cada visita — dissecar o que aprenderam e pensar em possíveis aprimoramentos.

A segunda diferença é que a maioria dos vendedores bem-sucedidos que estudei reconhece que seu sucesso depende de obter os *detalhes* certos. Eles podem ter excelentes habilidades de planejamento estratégico de contas, mas isso não é o que os distingue. Muitos dos profissionais não tão bem-sucedidos que estudei podem me dar um relato impecável de si mesmos quanto à estratégia geral. A diferença que é tão evidente nos melhores profissionais é que eles podem traduzir a estratégia em um comportamento eficaz de vendas — eles sabem o que *fazer* na visita. Entendem detalhes, e pode ser por isso que colocam tamanha ênfase no planejamento e em avaliar cada visita.

Vale a pena perguntar-se se você está dedicando tempo suficiente para avaliar os detalhes do que aconteceu na visita. Nunca se contente com conclusões globais como "foi bem". Pergunte-se sobre os *detalhes*. Algumas partes da visita vão melhor que outras? Por quê? Quais perguntas *específicas* que você fez tiveram maior influência sobre o cliente? Quais necessidades o cliente sentiu mais? Quais necessidades mudaram durante a discussão? Por quê? Quais dos comportamentos utilizados tiveram maior impacto? Se você não analisar sua venda neste nível de detalhes, perderá oportunidades importantes para aprender e aprimorar suas habilidades de vendas.

Uma Palavra Final

Talvez a conclusão mais significativa a que cheguei dos estudos de pesquisa de vendas da Huthwaite seja sobre a importância dos detalhes. Muitos anos atrás, no início de nossa pesquisa, eu poderia lhe dizer que o sucesso em vendas está nas áreas mais amplas. E teria escolhido fatores globais como personalidade, atitudes, química interpessoal ou a estratégia geral de relato para explicar por que uma pessoa vendeu mais que outra. Não acredito mais nisso. Cada vez mais nossa pesquisa tem mostrado que o sucesso é construído daqueles pequenos blocos, importantes, chamados comportamentos. Mais do que qualquer outra coisa, são as centenas de detalhes de comportamento mínimos em uma visita que decidirão se ela será bem-sucedida.

Não sou o primeiro a chegar à conclusão de que o sucesso está em entender os mínimos detalhes. Em 1801, William Blake escreveu:

> Aquele que faz bem ao outro deve fazê-lo em pequenos detalhes.
> O Bem Geral é o apelo do canalha, hipócrita e adulador;
> Pois a Arte e a Ciência não podem existir senão em pequenos detalhes organizados cuidadosamente.

Assim, como uma palavra de despedida, insisto para que você se concentre nos pequenos detalhes. Dê atenção real aos comportamentos básicos que você usa quando vende. Colocamos milhares de visitas de vendas sob o microscópio para isolar alguns dos elementos comportamentais detalhados que trazem sucesso à venda grande. Use os resultados de nossa pesquisa para examinar, desenvolver e aprimorar os pequenos detalhes de suas habilidades de vendas.

Apêndice A
Avaliando o Modelo SPIN

Mais de um século atrás lorde Kelvin escreveu: "Se você não pode medi-lo — se não pode expressá-lo em termos quantitativos —, então seu conhecimento é medíocre e insignificante". Como ele estava certo! Aliás, hoje vivemos em uma era que perdeu a exuberância dos grandes investigadores científicos do século XIX. Medida, prova e teste cuidadoso não geram o mesmo entusiasmo que antes, na era dourada da ciência. Como resultado, nosso trabalho no teste da validade do Modelo **SPIN** é relegado a um apêndice como este, em vez de ser incluído no meio do livro onde lorde Kelvin o teria colocado.

Se você é uma pessoa em cem que acha importante ler o apêndice de um livro como este, então merece minha admiração e gratidão. Pessoalmente, considero o material aqui a parte mais interessante de meu trabalho. Espero que você também o considere recompensador.

Meu assunto é intrigante — prova. Como sabemos que os métodos que descrevi neste livro realmente contribuem para o sucesso em vendas? Esse é o desafio mais difícil em nossa pesquisa — coletar evidências sólidas de que as idéias que desenvolvemos realmente trazem um aprimoramento mensurável nos resultados financeiros de vendas. Que eu saiba, somos a primeira equipe de pesquisa a trazer métodos científicos rigorosos para estabelecer se determinadas habilidades de vendas resultam no aprimoramento mensurável da produtividade.

Muitas pessoas *afirmaram* que seus modelos e métodos traziam aprimoramentos significativos aos resultados de vendas. Atualmente, em meus e-mails, há várias promessas tentadoras de sucesso. "Dobre suas vendas", propõe um programa de um dia. "Finalmente", diz outra, "um método comprovado que aumentará suas vendas em até 300%". Uma terceira oferta me diz: "Depois deste programa, as vendas de nossa filial dispararam. As suas também vão dispararar!" Sim, não faltam *afirmações* feitas por programas de treinamento de que seus métodos trazem aprimoramento mensurável. Contudo, quantos desses casos notáveis resistem a um exame minucioso? Nenhum dos que examinei. Infelizmente, quando se examina com atenção, a maioria das "curas milagrosas" anunciadas em treinamento de vendas é muito parecida às alegações feitas sobre óleo de cobra uns duzentos anos atrás.

Não estou sendo indevidamente malicioso quando traço paralelos entre treinamento em vendas e óleo de cobra. Muitos dos fornecedores de óleo de cobra, misturas milagrosas e remédios maravilhosos acreditavam sinceramente que tinham descoberto uma grande cura. A sinceridade deles se baseava em uma percepção equivocada. Coloquemo-nos no lugar de um médico do interior no século XVIII. Estamos tratando de um doente em estado grave. Experimentamos tudo e, no entanto, nada parece funcionar. Então, em desespero, juntamos uma mistura de ervas e poções. O paciente toma a mistura e se recupera. Eureca! O remédio funciona; uma cura milagrosa foi descoberta. O que não vemos, em nosso entusiasmo, é que o paciente melhoraria de qualquer modo. Sempre acreditaremos sinceramente que foi essa mistura que causou a recuperação.

É exatamente isso que acontece com a maioria dos treinamentos em vendas. Quem o planeja junta uma mistura de conceitos e modelos — e o administra na forma de um programa de treinamento. Depois há um aumento nas vendas. Então, com toda sinceridade, conclui-se que foi o treinamento que causou o aumento. Passei três anos fazendo pesquisa de doutorado em avaliação de treinamento. Lembro-me, por exemplo, de um treinador de uma grande empresa química me dizer que tinha um programa que dobrava as vendas. Certamente, ele tinha dados para provar sua afirmação — as vendas de sua divisão tinham subido em 118% desde o treinamento. Ao olhar atentamente o currículo, no entanto, descobri que era um pouco diferente do treinamento que sua divisão adotou durante anos. Não consegui encontrar nada que justificasse um aumento repentino de 118% em vendas. Um exame do *mercado*, no entanto, contava outra história. Um grande concorrente tinha fechado por causa de problemas com os trabalhadores, novos produtos foram introduzidos e os preços mudaram. Para piorar, houve várias mudanças significativas no gerenciamento da força de vendas e na política — para não mencionar uma importante campanha publicitária. É razoável supor que cada um desses fatores tivesse um impacto muito maior em vendas do que um programa convencional de treinamento em vendas. Em meu julgamento, o paciente teria se recuperado sem a cura milagrosa — o treinamento era o mesmo que óleo de cobra.

Durante minha pesquisa de avaliação investiguei muitas alegações de aumentos de vendas resultantes de treinamento. Mais de 90% delas podiam ser atribuídas com mais facilidade a outros fatores do gerenciamento ou de mercado. Há tantas variáveis que afetam o desempenho de vendas — o treinamento é apenas um fator. Em quase todos os casos que estudamos, havia uma razão mais plausível para o aumento. Não estou duvidando da sinceridade daqueles que lhe dizem como seu maravilhoso método de vendas tinha dobrado resultados. Entretanto, como acontece com qualquer cura milagrosa, é preciso perguntar se o paciente também teria melhorado sem o remédio.

Correlações e Causas

Seja o assunto remédio ou treinamento, é extremamente difícil provar que a "cura" de alguém é satisfatória. No entanto, essa é uma dificuldade que agora enfrento neste capítulo, porque a pergunta que quero responder é "Esta coisa funciona?". Qual é a evidência de que as idéias que apresentamos aqui darão uma contribuição válida para os seus resultados de venda? Se você vai investir tempo e esforço praticando as habilidades de vendas que descrevi, precisará saber que estou lhe oferecendo mais do que óleo de cobra. Todavia, como posso lhe *provar* que o processo **SPIN** aumenta as vendas?

Para começar, vou dizer como *não* fazer isso (Figura A.1). No início do Modelo **SPIN** estávamos trabalhando com uma empresa de bens de capital com sede nos arredores de Nova York. A equipe de treinamento estava ansiosa para testar o modelo, para ver se ele aprimoraria os resultados de vendas. Eles mediram as vendas mensais médias de 28 pessoas que treinaram. Nos seis meses antes do treinamento, as vendas médias foram de 3,1 pedidos por mês. Nos seis meses depois do treinamento, no entanto, subiram para 4,9 pedidos por mês — um aumento de 58%.

Podemos concluir que o Modelo **SPIN** aumentou os pedidos em 58%? Esta seria uma conclusão muito insensata. Vamos examinar mais atentamente o resultado. Nos seis meses após o programa, dois novos produtos importantes foram introduzidos. Os territórios de vendas foram redesenhados, e 23 dos 28 vendedores treinados receberam territórios maiores com maior potencial de vendas. As vendas da empresa aumentaram durante esse período em aproximadamente 35% — e a maior parte desse aumento veio de pessoas *sem treinamento*. Ao examinarmos mais detalhadamente, ficou claro que corríamos perigo de nos enganar, se achássemos que o **SPIN** foi uma cura milagrosa, quando, na realidade, não tínhamos como dizer que parte do aumento se devia ao **SPIN** e que parte resultou de outros fatores.

No mesmo sentido, devo lhe aconselhar a não se deixar levar por esse pequeno relato de outra avaliação do **SPIN**. Esse é da revista *Management*, sobre a Honeywell:

Nossa força de vendas européia era orientada basicamente para a venda de produtos com ciclo curto. Precisávamos de um programa que funcionasse de fato... que pudesse ser aplicado universalmente a nossos diversos mercados europeus. No final de 1978 o programa **SPIN** foi adaptado em todas as línguas européias. Houve 20% de aumento no sucesso em vendas... o que pode aumentar ainda mais à medida que os vendedores refinarem suas técnicas **SPIN**.

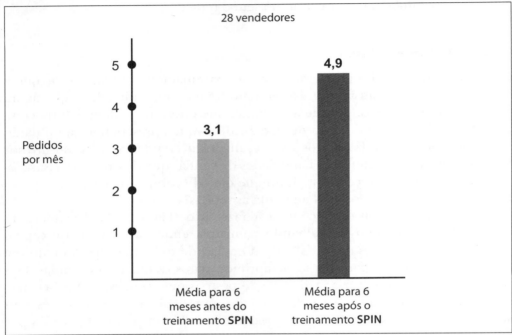

Figura A.1. Um exemplo enganoso do aprimoramento do SPIN traz um aumento de 58% em pedidos... ou não?

Sim, após a implementação da abordagem **SPIN** houve um aumento de 20% em vendas. No entanto, o que esse relatório *não* diz é que a Honeywell introduziu vários produtos novos importantes para a Europa naquele ano, inclusive o revolucionário sistema de controle de processo TDC 2000. É bem possível que os produtos tivessem criado o aumento todo. No caso da Honeywell, não há como afirmar se a abordagem **SPIN** é um aprimoramento em relação ao óleo de cobra.

Grupos de Controle

A fraqueza mais séria de resultados como esses é que os treinadores não montaram um grupo de controle — um grupo correspondente de pessoas *não treinadas* que poderiam prover uma base contra a qual mudanças no desempenho do

Avaliando o Modelo **SPIN** **181**

grupo treinado poderiam ser julgadas. Imagino que a maioria dos leitores saiba o que são grupos de controle e como eles são importantes para qualquer trabalho experimental. Contudo, talvez alguém não saiba que os grupos de controle foram muito utilizados, inicialmente, na medicina, na tentativa de determinar se uma cura seria genuína ou apenas óleo de cobra. Se os treinadores tivessem estabelecido um grupo de controle de 28 vendedores não treinados, poderíamos ter comparado o desempenho dos dois grupos para obter um quadro verdadeiro.

Mesmo com um grupo de controle, no entanto, os resultados podem ser enganosos. Vejamos um estudo que parece, à primeira vista, um teste bastante convincente para determinar se o Modelo **SPIN** proporciona um desempenho aprimorado em vendas maiores.

O Caso da Explicação Plausível. Uma grande multinacional decidiu testar o Modelo **SPIN** treinando toda uma filial de 31 vendedores. Como controle, escolheu outras filiais que não receberam treinamento. Se a filial treinada melhorasse mais do que as outras, então isso se deveria ao mercado ou aos produtos porque esses fatores se aplicavam igualmente tanto às filiais de controle quanto à experimental. Ainda mais importante, não havia mudanças significativas nas pessoas — a filial tinha uma rotatividade baixa, incomum, nos níveis gerenciais e de vendas. Talvez, agora, tivéssemos um teste válido para avaliar se a abordagem **SPIN** gera produtividade.

Os resultados, um ganho de 57% comparado ao grupo de controle, certamente parecem convincentes (Figura A.2). Todavia, temos de fazer a pergunta padrão do avaliador: "Há outra maneira igualmente plausível de explicar este aumento?". Infelizmente para nós, há. A filial tinha sido criada muito recentemente — apenas quatro meses antes do treinamento **SPIN**. O ciclo médio de venda para a gama de produtos era de três meses. Então, o aprimoramento da produtividade poderia ter sido causado pelo tempo exigido para uma nova filial se acelerar, somado aos efeitos atrasados de um ciclo de vendas de três meses. Mais uma vez, a validade de nossa "prova" pode ser minimizada.

Em nossos arquivos de pesquisa, temos vários exemplos similares de estudos de avaliação que parecem plausíveis à primeira vista, mas não se sustentam diante de um exame minucioso. Vejamos mais um caso para ilustrar isso.

Novamente sem Sucesso. Uma grande indústria decidiu avaliar os métodos **SPIN** em um mercado sazonal em que fevereiro era um mês de pico. A fim de compensar o efeito sazonal e de mercado, ela usou como grupos de controle todas as outras filiais que operavam no mesmo mercado. A empresa acompanhou o registro de pedido de cada filial antes e depois da filial experimental ser treinada no início de janeiro. Como pode ser visto na Figura A.3, a filial treinada com **SPIN** mostrou um ganho expressivo de produtividade comparado aos outros. Dessa vez, ao contrário de nossos primeiros estudos, todas as cinco filiais estavam bem estabelecidas — então não havia problema de ciclo de vendas ou de curva de aprendizagem. Essa poderia ser a prova que esperávamos? Infelizmente, não.

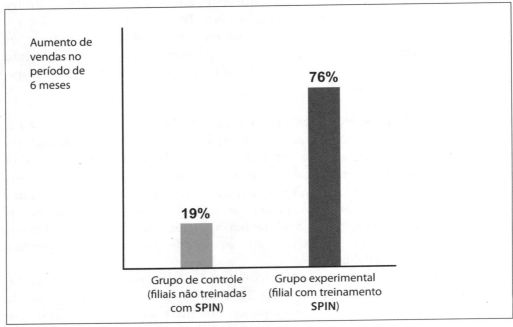

Figura A.2. Um estudo enganoso de grupo de controle.

Em novembro, o gerente da filial tinha mudado. Como sabemos se o aprimoramento acentuado na produtividade foi causado pelo Modelo **SPIN** ou pelo novo sistema de gerenciamento da atividade de vendas introduzido em dezembro? Impossível responder à pergunta. No entanto, a empresa tentou responder, entrevistando todos os vendedores participantes. Eles pediram a cada pessoa que estimasse quanto da mudança se devia ao treinamento **SPIN** e quanto a outras causas. Embora todos fossem solícitos em dar uma estimativa, o fato de sua resposta mais comum ser que 50% se devia ao **SPIN** me leva a suspeitar. Sempre que as pessoas respondem "50%" a qualquer pergunta sobre causas, minha interpretação é que isso significa que elas não têm idéia.

Um Fracasso Após o Outro

Nunca se pode eliminar totalmente os efeitos dos outros fatores organizacional e de mercado — o que significa que é muito difícil obter prova convincente de

Avaliando o Modelo **SPIN**

qualquer modelo de venda. Como nós tentamos! Conseguimos que uma organização concordasse em não mudar produtos, gerenciamento ou vendedores durante o período de teste de seis meses. Por um momento estávamos convencidos de que teríamos um estudo de avaliação que se sustentaria diante de um exame mais rigoroso. Então, quando estávamos passando tranqüilamente para o terceiro mês de teste, a concorrência desleal cortou seus preços em 15%. Nosso cliente, forçado a reagir rapidamente, mudou preços, pessoal e os lançamentos de produto. Outro teste arruinado!

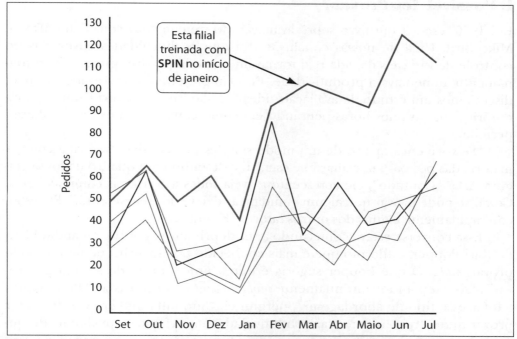

Figura A.3. Ganho de produtividade da filial treinada com **SPIN** comparado a quatro grupos de controle.

Pensamos que finalmente tínhamos todos os fatores importantes sob controle em uma empresa de alta tecnologia. A filial de teste estava indo bem — 73% à frente das filiais de controle — e dessa vez estávamos convencidos de que teríamos um vencedor. No meio do teste, no entanto, fomos vítimas de um dos gerentes da filial do grupo de controle. Antes do teste, era dele a melhor filial e ele se orgulhava disso. Agora, entretanto, vendo que os dados da filial de teste estavam parecendo muito melhores que os da sua, ele decidiu tomar providências. Na calada da noite, furtou os arquivos do departamento de treinamento e fez uma cópia de todos os materiais do programa que usamos com a filial de teste. Voltando para casa com seu espólio, ele fez todo o seu pessoal manter segredo e deu suas próprias aulas de treinamento usando o material roubado.

Isso arruinou nosso teste. Embora na época eu tenha ficado furioso, agora não posso deixar de pensar que se trata da avaliação mais convincente de todas: afinal, os métodos foram bons o suficiente para que um gerente de vendas dirigisse 960 quilômetros no meio da noite a fim de roubá-los.

É Possível Ter Provas?

Em 1970, escrevi um livro sobre avaliação de treinamento com Peter Warr e Mike Bird. Uma de nossas conclusões foi que as dificuldades envolvidas no controle de variáveis da vida real tornavam quase impossível provar que o treinamento aumentava a produtividade. Enquanto estávamos escrevendo o livro, discutíamos um estudo de avaliação "ideal". Mike Bird e eu dividíamos um escritório e passávamos horas pensando em como conceberíamos uma avaliação perfeita.

"Se você encarar isso de um modo simples", dizia Mike, "a forma como a maioria das pessoas faz avaliação é esta." Ele desenhou um quadro na lousa (Figura A.4). "Contudo", ele acrescentou, "veja todas as variáveis complicadoras. Como se pode provar que alguma mudança se deve ao treinamento?" Ele esboçou rapidamente alguns dos outros fatores (Figura A.5).

Essa conversa estava começando a ser deprimente, porque eu andava lendo Karl Popper, o filósofo que é mais conhecido por sugerir que não se pode provar *nada*. O que Popper sugeria é que a única forma de a ciência "provar" algo é tentando continuamente *provar o contrário* e fracassar. "Poderíamos adotar esse tipo de abordagem?", perguntei. "Suponha que em vez de tentar provar que o treinamento traz produtividade, atacaríamos o problema do outro lado e tentaríamos provar que *não há* nenhum efeito na produtividade. Isso seria melhor?"

Não levamos a conversa adiante — anos depois, porém, enquanto eu lutava com dificuldades para testar se a nossa abordagem **SPIN** funcionava, lembrei-me daquela discussão com Mike. Deveríamos nos esquecer da prova e procurar provar a idéia de que as habilidades descritas neste livro *não* causariam mais vendas?

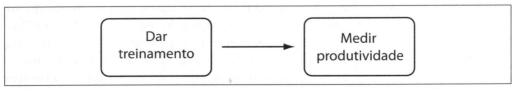

Figura A.4. A maneira usual de avaliar treinamento de vendas.

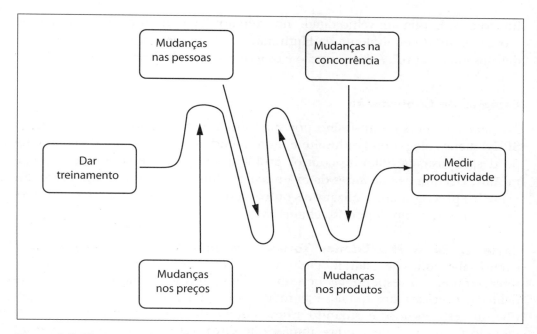

Figura A.5. Variáveis que complicam a exatidão da mensuração.

Provar ou Não Provar — É importante?

Se você for uma pessoa prática, talvez ache minha obsessão de pesquisador, em provar ou não provar, uma forma acadêmica de destruição. Em minha defesa, eu diria que muitos bilhões de dólares estão sendo gastos por ano, ensinando métodos de vendas sem a menor prova para mostrar se eles funcionam ou não. Nenhuma outra área de negócio é tão displicente em testar seus produtos ou métodos. A sociedade civilizada entraria em colapso se o design de manufatura mostrasse a mesma falta de preocupação com a eficiência do produto que vejo na maioria das organizações que elaboram programas de treinamento. Só porque é difícil medir a eficiência de uma abordagem de vendas não significa que não deveríamos tentar. Ao contrário, as dificuldades tornam isso importantíssimo. Sem tentativas honestas para obter uma forma melhor de mensuração da eficácia do treinamento de vendas, continuaremos a gastar bilhões de dólares que poderiam ser gastos mais produtivamente em outra parte. Não ligo realmente se a ênfase está em provar ou não provar. Todavia *apóio* profundamente qualquer coisa que resulte em medida e teste melhores, porque, sem esses testes, minha profissão se torna um negócio de venda de programas milagrosos.

Se você me desculpar por defender essa idéia, espero que perceba que essa preocupação com a avaliação é de *seu* interesse. Nossa razão para todas essas medidas e testes é que estamos tentando nos certificar de que o que lhe oferecemos funcionará. Existia um velho ditado no exército: "Se se mover, atire, e, se não se mover, pinte". O equivalente da Huthwaite é: "Se se mexer, meça, e, se não pudermos medir, atire". A mensuração e os testes são quase obsessões entre nós.

Estágios da Contestação

Ao perseguir nosso entusiasmo por uma mensuração rigorosa da abordagem **SPIN**, meus colegas da Huthwaite e eu despendemos uma quantidade de tempo desproposital, lutando com os problemas de prova e contestação (Figura A.6). Decidimos que antes de examinar ganhos em produtividade (Teste 3), primeiro precisávamos realizar dois outros testes — ou oportunidades para provar *o contrário*, como Popper os chamaria.

Teste 1: Essas Habilidades Tornam as Visitas Mais Bem-sucedidas?

Como saberíamos se estávamos ensinando as coisas certas? Antes que pudéssemos começar a responder a perguntas elaboradas sobre mudança de produtividade, precisávamos testar se os modelos funcionavam. Por exemplo, suponha que estivéssemos ensinando a uma equipe de uma conta importante um modelo tradicional de vendas simples que envolvesse fazer perguntas abertas e fechadas, apresentar Vantagens e depois usar técnicas de fechamento para ganhar compromisso. Das evidências que apresentamos até agora, é improvável que a adoção desse modelo tornasse as visitas de vendas contas-chave um sucesso. Mesmo que houvesse ganhos substanciais na produtividade após o treinamento, provavelmente teriam sido causados por outros fatores. Então, antes de começarmos a medir ganhos de produtividade, nosso primeiro teste deveria estabelecer se estávamos ensinando as coisas certas.

Genericamente, sabíamos que o Modelo **SPIN** passaria por esse teste, porque ele derivava de estudos de visitas bem-sucedidas. Então, havia uma alta probabilidade de que, se ensinássemos as habilidades **SPIN**, poderíamos estar ensinando algo que aumentaria o sucesso das vendas. Se quiséssemos conceber o estudo de avaliação definitivo, no entanto, teríamos de ir além disso. Teríamos de responder a uma pergunta muito *específica* sobre cada vendedor cuja produtividade pretendíamos medir. Não poderíamos depender de estudos que havíamos feito em outras empresas, mercados ou com outros grupos. E se esse grupo fosse diferente? Como saberíamos que só porque o **SPIN** funcionava em um lugar funcionaria aqui? No teste final de avaliação começaríamos fazendo pesquisa para estabelecer como seria uma visita bem-sucedida *para o grupo de pessoas que seriam treinadas*. Não haveria a chance de fatores singulares relativos a sua geografia, mercado, produtos ou organização de vendas invalidarem nossos resultados. Se, desse primeiro teste, pudéssemos obter evidências sólidas de que as coisas que estávamos ensinando funcionavam para esse conjunto de indivíduos, então deveríamos eliminar mais uma fonte de contestação.

Avaliando o Modelo **SPIN**

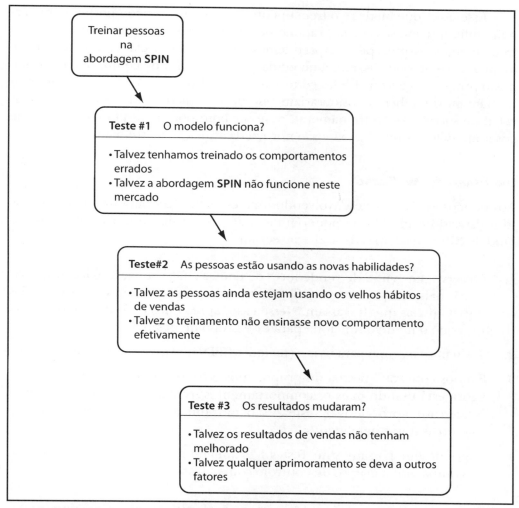

Figura A.6. Estágios de prova e contestação.

Teste 2: Como Sabemos se as Pessoas Estão Usando as Novas Habilidades? O próximo teste em nossa busca para contestar seria descobrir se as pessoas estavam realmente usando as novas habilidades nas visitas reais após o treinamento. Certa vez fui pego nesse teste. Estávamos medindo aprimoramentos da produtividade em um grupo de vendedores de uma divisão da General Electric. Nos seis meses após o treinamento com base no Modelo **SPIN**, as vendas subiram 18% em média. Poderíamos reivindicar o crédito? De forma alguma. Ao observar essas pessoas venderem antes e após o treinamento, estabelecemos que eles não estavam usando significativamente mais comportamentos **SPIN** depois do treinamento do que antes de serem treinados. Mais uma vez refutamos o crédito pelo ganho de produtividade.

Esse teste, que mede se o treinamento fez as pessoas se comportarem de maneira diferente em suas visitas, raramente é executado por aqueles que elaboram treinamentos. É uma pena. Aprendemos muito sobre a elaboração de treinamentos eficientes, analisando a quantidade de mudança de comportamento que nosso programa causou. Tenho certeza de que outros profissionais que elaboram treinamentos também considerariam esse tipo de medida mais útil que o teste usual de sorrisos — "o treinamento deve ser bom porque as pessoas dizem que gostaram dele" — que é a extensão normal da avaliação de treinamento.

Um Plano de Avaliação

Aos poucos estávamos desenvolvendo uma especificação para um método muito sofisticado e pleno que poderíamos usar para avaliar a eficiência de nosso Modelo **SPIN**. As etapas de avaliação seriam:

1. Observe um grupo de vendedores de contas-chave em ação para descobrir se há mais comportamentos **SPIN** utilizados em suas visitas bem-sucedidas que naquelas que fracassam. Nesse caso, aprovamos o Teste 1; agora sabemos que o modelo funciona para esse grupo de pessoas.

2. Treinamos o grupo para usar os métodos **SPIN** que estamos tentando avaliar.

3. Saímos com cada pessoa do grupo, após o treinamento, para descobrir se agora está usando mais os comportamentos treinados durante suas visitas. Nesse caso, aprovamos o Teste 2; sabemos que as pessoas estão realmente usando as novas habilidades.

4. Supondo que passamos no Testes 1 e 2, medimos o ganho de produtividade comparado a grupos de controle com o Teste 3.

Parece um método elaborado, mas não havia alternativa. Procuramos uma resposta mais simples, mas nenhum dos testes de avaliação superficiais usuais se manteve diante de um exame rigoroso. O autor e o especialista em planejamento corporativo, Michael Kami, certa vez me disse: "Para cada pergunta complexa, há uma resposta simples — e está errada". Fomos forçados a concordar com ele. Se quiséssemos uma avaliação sólida de um problema complexo, teríamos de aceitar um método difícil para chegar lá.

Um Teste com a Kodak — Quase

Levamos nosso plano de avaliação a vários clientes e tentamos atrair o interesse deles. Essa é uma maneira educada de dizer que tentamos fazê-los pagarem por um teste bem caro. A maioria deles, percebendo quão oneroso seria o teste, nos incentivou a oferecer a avaliação em outro lugar. Durante determinado tempo tivemos esperança de fazer um teste integral com a Kodak — uma organização com uma longa tradição de testes cuidadosos de novos métodos. A Kodak estava considerando usar o treinamento com base no Modelo **SPIN** no mundo inteiro, em todas as suas divisões envolvidas em vendas grandes. Um teste de avaliação parecia uma primeira etapa sensata. Concordamos em testar o modelo observando um grupo de vendedores da Health Sciences Division, da Kodak. De fato, o Modelo **SPIN** funcionou exatamente como nossa pesquisa havia previsto. Perguntas de Implicação e de Necessidade de Solução eram mais do que duas vezes freqüentes em visitas bem-sucedidas que naquelas que fracassavam.

Em seguida, treinamos o grupo piloto e, após o treinamento, observamos se os funcionários estavam usando as novas habilidades. Mais uma vez, as coisas pareciam bem. Os Benefícios triplicaram, as Perguntas de Implicação triplicaram e as Perguntas de Necessidade de Solução dobraram. As pessoas agora estavam usando mais comportamentos bem-sucedidos do que antes do treinamento.

Ficamos encantados. Pela primeira vez estávamos prestes a começar um teste de produtividade sobre o qual podíamos dizer: "*Sabemos* que o modelo funciona e *sabemos* que essas pessoas o estão usando em suas visitas". Então veio uma daquelas bombas, que traz boas e más notícias. A boa notícia era que a Kodak estava tão satisfeita com o teste piloto que decidiu adotar os métodos **SPIN** no mundo todo. A má notícia era que a Kodak estava tão convencida com as reações de seus funcionários com o piloto que não via razão para fazer testes elaborados e onerosos de produtividade. O "teste dos sorrisos" havia nos esfaqueado pelas costas!

Entra a Motorola Canadá

Estávamos comentando entre nós que o destino do pesquisador era de uma falta de sorte sem fim quando tivemos uma oferta da Motorola que não pudemos recusar. Assim como a Kodak, a Motorola queria testar o Modelo **SPIN** com a intenção, se funcionasse, de adotá-lo no mundo todo. Seu grupo de teste escolhido era da Divisão de Comunicações da Motorola Canadá. Dessa vez, tivemos o cuidado de estabelecer o estudo de avaliação concretamente, bem antes do projeto, então nenhum de nossos testes escaparia. Como um bônus adicional, a Motorola contratou uma avaliadora independente, Marti Bishop, que trabalhou com nossos modelos e métodos no emprego anterior como Gerente de Avaliação na Xerox Corporation. Sua função era testar a eficácia dos programas **SPIN** rigorosamente, passando pelas verdadeiras etapas que elaboramos para a avaliação ideal da produtividade.

Agora, cito uma versão sintética do relatório dela:

Estudo de Produtividade da Motorola Canadá

Este relatório é uma análise da produtividade do programa **SPIN**, que foi conduzido durante o terceiro trimestre de 1981.
Propõe-se a responder a estas perguntas:

- O Modelo **SPIN** funciona na Motorola Canadá?
- As pessoas estão usando o modelo após o treinamento?
- Isso levou ao aprimoramento mensurável na produtividade deles?

O Modelo Funciona?

A primeira preocupação da Motorola é testar se os comportamentos **SPIN** são indicadores do sucesso em visitas de vendas da Motorola da maneira como provaram ter sucesso em outras empresas.

Para testar isso, viajamos com cada um dos representantes de vendas que seriam treinados e analisamos a freqüência dos comportamentos **SPIN** em suas visitas bem e malsucedidas. Descobrimos que todos os comportamentos **SPIN** eram mais freqüentes nas visitas bem-sucedidas:

	Visitas bem-sucedidas
Perguntas de Situação	1% mais
Perguntas de Problema	17% mais*
Perguntas de Implicação	53% mais*
Perguntas de Necessidade de Solução	60% mais*
Benefícios	64% mais*
Características	5% mais

* indica item estatisticamente significativo

O treinamento **SPIN** concentrou-se em desenvolver um aumento no número de Perguntas de Problema, Perguntas de Implicação, Perguntas de Necessidade de Solução e Benefícios. Como cada um desses comportamentos é mais freqüente nas visitas bem-sucedidas da Motorola Canadá, podemos concluir que o treinamento está ensinando às pessoas comportamentos que deveriam ajudá-las a vender de modo mais eficiente.

As Pessoas Mudaram?

Há evidências de que o modelo funciona na Motorola. A próxima etapa deve ser mostrar que as 42 pessoas que foram treinadas estão realmente usando os novos comportamentos em suas visitas. Para testar isso, observamos as pessoas vendendo antes, durante e depois do período de treinamento, a fim de determinar se elas agora estão se comportando de maneira diferente com seus clientes.

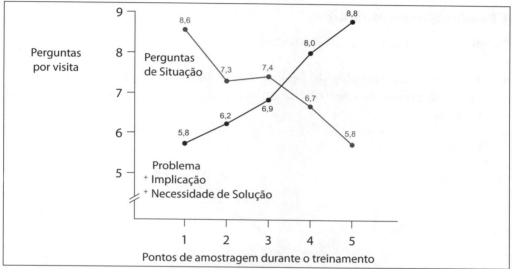

Figura A.7. Motorola Canadá: Mudanças no comportamento de fazer perguntas.

Fizemos uma amostra de cada uma das 42 pessoas em cinco pontos (Figura A.7). A primeira vez que saímos com elas foi imediatamente antes do treinamento. As outras quatro vezes foram em intervalos de aproximadamente três semanas durante o período de treinamento. No início do treinamento, as pessoas faziam mais Perguntas de Situação (média de 8,6 por visita) que o total combinado de Perguntas de Problema *mais* Implicação *mais* de Necessidade de Solução (média de 5,8 por visita). Então, os três comportamentos de questionamento associados estatisticamente ao sucesso estavam sendo utilizados menos do que as Perguntas de Situação — aquela que questiona o comportamento *não* associado significativamente ao sucesso.

No final do período de treinamento, entretanto, isso se reverteu. A freqüência das perguntas de sucesso subiu para 8,8 na visita média, em que o nível de Perguntas de Situação havia caído. Quanto ao comportamento de fazer perguntas, podemos concluir seguramente que os 42 vendedores agora estão se comportando com êxito maior do que antes.

No início do treinamento, os Benefícios estavam em um nível médio de 1,2 por visita (Figura A.8). No final, subiram para 2,2 por visita. Ressaltamos que os Benefícios, de todos os comportamentos, são os maiores indicadores de sucesso nas visitas da Motorola Canadá. Os vendedores agora oferecem aos clientes quase duas vezes mais Benefícios por visita do que antes do treinamento. Em vista disso, não seria surpreendente se esses resultados piloto em vendas mensuráveis aumentassem.

A Produtividade Mudou?

Para medir a mudança na produtividade:

- Examinei os resultados de vendas das 42 pessoas no piloto e comparei-os com um grupo de controle de 42 vendedores não treinados da Motorola Canadá.

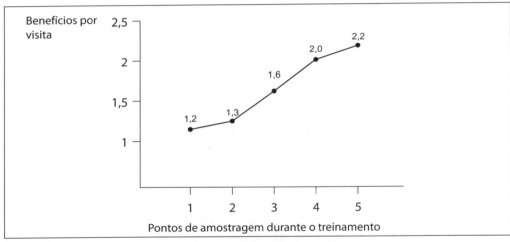

Figura A.8. Motorola Canadá: Mudanças em Benefícios por visita.

- Comparei os resultados para três períodos:
    - Três meses *antes* do treinamento **SPIN**
    - Três meses *durante* o período de implementação **SPIN**
    - Três meses *após* a implementação
- Os resultados, portanto, foram obtidos no período de nove meses.
- Medi vendas em termos de:
    - Total de pedidos
    - Pedidos de novas contas

Avaliando o Modelo **SPIN**

- Pedidos de contas existentes
- Valor de vendas em dólar

Quanto ao total de pedidos (Figura A.9), as 42 pessoas no grupo de controle mostraram uma queda de 13% de seu nível original pré-treinamento. Esse se deve à competitividade do mercado de comunicações, somada à economia canadense extremamente difícil. Em contrapartida, o grupo treinado com **SPIN** mostrou um ganho de 17%, revertendo as tendências de um mercado difícil. Essa diferença bruta de 30% na taxa de pedido entre os grupos de controle e experimental é estatisticamente significativa.

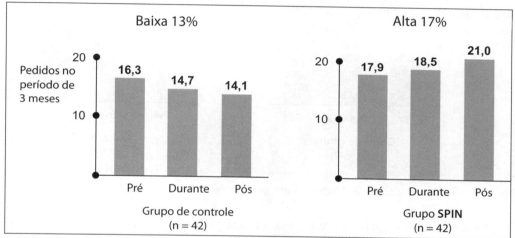

Figura A.9. Motorola Canadá: Mudanças nos níveis totais de pedido.

A direção da Motorola Canadá está focando seus esforços no aumento de novos negócios e quer saber se o treinamento **SPIN** fez uma contribuição significativa para as vendas de novos negócios. Como mostra a Figura A.10, as vendas de novos negócios do grupo de controle aumentaram somente durante o período de treinamento, quando a organização de vendas colocou grande esforço nas vendas de novos negócios; no período após o treinamento, as vendas caíram de novo para abaixo de seu nível original, refletindo as dificuldades do mercado. Em contrapartida, o grupo que recebeu treinamento **SPIN** mostrou um ganho de pedidos de 63%, revertendo o desempenho de mercado, de um modo geral, pobre. É extremamente interessante notar o aumento nos pedidos do grupo com treinamento **SPIN** no período *após* a conclusão do treinamento; isso sugere que as novas habilidades agora se mantêm por si mesmas e pode-se esperar que tenham um impacto continuado na produtividade em vendas.

Antes do estudo, alguns de seus gerentes de vendas expressaram reserva sobre a natureza "delicada" do Modelo **SPIN**, com sua ênfase na investigação, e não nas técnicas de fechamento "agressivas" que alguns gerentes julgavam essenciais para a venda de novos negócios em um mercado muito difícil e competitivo; os resultados, porém, indicam que eles não têm razão para se preocupar. O treinamento **SPIN** conseguiu gerar negócios significativos contra a concorrência agressiva.

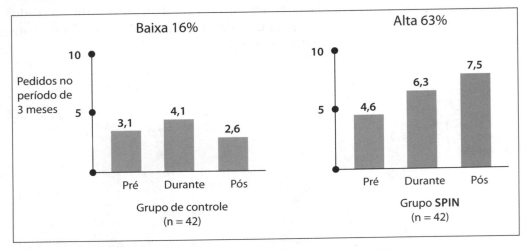

Figura A.10. Motorola Canadá: Mudanças nos pedidos de novos negócios.

Quanto aos negócios gerados em contas já existentes (Figura A.11), o registro do grupo de controle foi melhor. Ambos os grupos mostraram uma queda no negócio de contas existentes durante o treinamento, em razão do foco da organização de vendas nos novos negócios durante aquele período. Entretanto, o grupo de controle mostrou uma queda geral de 13%, enquanto o grupo com treinamento **SPIN**, um aumento de 1%.

Um aumento nos pedidos pode ser enganoso. É possível que o ganho de produtividade do grupo **SPIN** tenha sido porque ele gerou mais pedidos pequenos, enquanto o grupo de controle obteve menos pedidos, mas cada um com um valor maior em dólar. Diante dessa possibilidade, precisamos adotar uma medida direta do valor das vendas em dólar. Uma vez que os dados de vendas em dólar são confidenciais e esse é um relatório para divulgação geral, portanto, exibimos a mudança do valor em dólar para os dois grupos em percentagem a fim de preservar a confidencialidade (Figura A.12). O grupo de controle mostrou uma queda de 22,1% em dólares vendidos; novamente, isso reflete as condições extraordinariamente difíceis de mercado. O grupo com treinamento **SPIN** reverteu sua tendência, mostrando um ganho geral de 5,3% no valor em dólar. Note que esses resultados sugerem que parte do notável au-

Avaliando o Modelo **SPIN**

mento de 63% nos pedidos obtido pelo grupo **SPIN** na área de novos negócios vem de um número maior de pedidos menores.

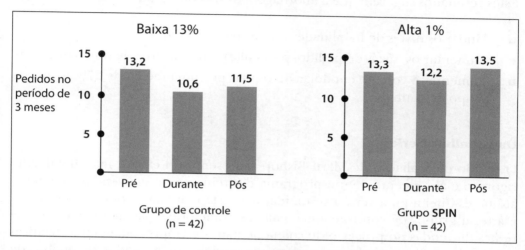

Figura A.11. Motorola Canadá. Mudanças em pedidos de clientes existentes.

Nas vendas em dólar, o grupo **SPIN** está 27,4% acima do grupo de controle. Essa diferença é substancial e estatisticamente significante, sugerindo que o custo e o esforço para implementar a abordagem **SPIN** foram compensados várias vezes em termos de resultados de vendas.

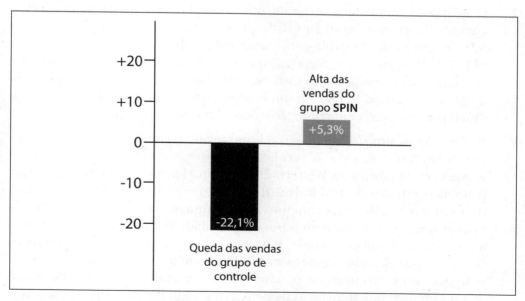

Figura A.12. Motorola Canadá: Mudança pré e pós em dólar de vendas.

Conclusões

Estes resultados sugerem que a abordagem **SPIN** conseguiu:

- Mudar os níveis de habilidades do pessoal treinado
- Aumentar os níveis de pedido, particularmente na área de novos negócios
- Aumentar o volume em dólar de vendas por uma média de 27% acima do grupo de controle

Duas Falhas Sérias

O estudo de avaliação de Marti Bishop representou o exame mais detalhado, rigoroso e abrangente de um programa de treinamento em vendas executado até hoje. Citei aqui a versão resumida, mas esta é apenas a ponta do iceberg. Ela usou grupos de controle adicionais, usou metodologias que envolviam gerentes de vendas no processo de coleta de dados e empregou algumas técnicas sofisticadas informatizadas para construir modelos e resultados de análise de sucesso. Contudo, por mais poderoso que seja este estudo, ele ainda não contém essa prova incontestável que estávamos procurando.

Se eu quisesse tirar o crédito do estudo da Motorola, apontaria duas falhas, cada uma delas podendo, potencialmente, ser séria o suficiente para causar palpitações em metodologistas rigorosos:

1. O grupo de controle começa de um ponto inferior ao do grupo **SPIN**. Quando se examinam os níveis de pedido antes do treinamento (Figura A.9), o grupo de controle tinha uma média de 16,3 pedidos e o grupo **SPIN**, 17,9. Agora essa diferença não é estatisticamente significativa, por isso talvez não seja preocupante. No entanto, uma pessoa cética poderia alegar que o grupo **SPIN** teve um desempenho melhor em uma economia difícil porque estava em condição inicial um pouco melhor.

2. Poderia haver um *efeito Hawthorne*. É um termo técnico para o aumento artificial em resultados que se recebe quando se presta atenção às pessoas. O nome vem da fábrica da Western Electric em Hawthorne, onde alguns dos primeiros estudos de produtividade foram realizados no final da década de 1920. Em um dos experimentos de Hawthorne, os pesquisadores descobriram que, quando aumentavam a intensidade da iluminação na fábrica, a produtividade subia. Todavia, para seu espanto, a produtividade também subia quando eles *diminuíam* os níveis de iluminação. A conclusão deles foi a de que, no curto prazo, é possível obter um aumento na produtividade apenas oferecendo atenção às pessoas. No estudo da Motorola, seria possí-

vel alegar que o aumento da produtividade era de corrente de toda a atenção dada ao treinamento que o grupo **SPIN** estava recebendo. Não importava se treinávamos o grupo nos métodos **SPIN** ou em dança aeróbica. A produtividade subiria de qualquer forma por causa do efeito Hawthorne.

Havia algumas respostas-padrão preparadas para rebater qualquer sugestão de que a mudança não se devia a um efeito Hawthorne. Minha primeira defesa foi a de que os efeitos Hawthorne são muito menos comuns do que a maioria das pessoas supõe e, quando ocorrem, são de curto prazo; geralmente, durando no máximo alguns dias. O estudo da Motorola, que se estendeu por um período de avaliação de nove meses, certamente estaria livre de qualquer efeito Hawthorne sério. Se é um efeito Hawthorne, então vamos promover condições para que toda a força de vendas seja influenciada por ele, a fim de obtermos um aumento de 30% nas vendas. Meu coração, entretanto, não estava em nenhuma dessas respostas. O pesquisador em mim queria muito saber se existia um efeito Hawthorne e, em caso afirmativo, quanto ele contribuíra para o ganho de produtividade.

Um Novo Teste de Avaliação

A Motorola estava suficientemente convencida pelo estudo a adotar os métodos **SPIN** no mundo todo. Ao ficar satisfeita com o bom funcionamento do método, não viu valor em novas tentativas de *contestar* a ligação entre **SPIN** e produtividade. De fato, a Motorola desprezou minha preocupação como um exemplo daquela excentricidade bastante incomum que os ingleses demonstram em momentos de estresse.

Precisávamos de um novo cliente com dúvida suficiente para justificar outra investigação de larga escala. A salvação veio na forma de uma gigante multinacional fabricante de computadores que, como a Motorola, desejava testar o **SPIN** para aplicação no mundo todo. Com uma dificuldade apenas moderada, convenci a empresa a me deixar executar os dois testes remanescentes que preencheriam as lacunas no estudo da Motorola: (1) usar um grupo de controle correspondente; (2) medir o efeito Hawthorne.

Antes de realizar esses testes, passamos pela mesma metodologia que usamos na Motorola. Vou lhe poupar as descobertas detalhadas, que foram bem semelhantes àquelas na Motorola, exceto por estas diferenças:

- Houve uma *redução* de 4% nas Perguntas de Situação em visitas bem-sucedidas, o que está de acordo com nossas principais descobertas de pesquisa, que mostram que as Perguntas de Situação têm um efeito ligeiramente negativo sobre os clientes.

- Assim como na Motorola, as Perguntas de Problema, Implicação e Necessidade de Solução tiveram um sucesso significativamente maior nas visitas. O mesmo ocorreu com os Benefícios. (Entretanto, ao contrário da Motorola, onde as Perguntas de Necessidade de Solução foram as mais fortemente associadas ao sucesso, neste estudo o comportamento mais poderoso estava associado às Perguntas de Implicação.)

As mudanças comportamentais trazidas pelo treinamento foram maiores nessa implementação do que na Motorola. Como mostra a Figura A.13, as Perguntas de Problema, Implicação e de Necessidade de Solução quase dobraram, enquanto o nível de Perguntas de Situação permaneceu constante.

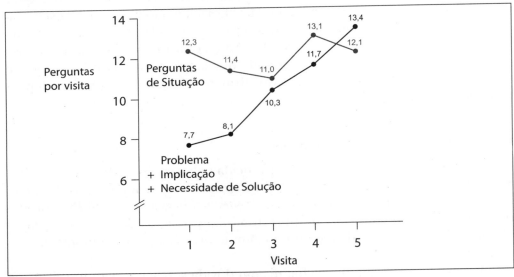

Figura A.13. Mudanças no comportamento de formular perguntas.

Os Benefícios mostraram uma alta particularmente satisfatória — de 1,1 por visita para 3,4 (Figura A.14). Isso pode não parecer muito, mas veja como avaliei: as 55 pessoas com treinamento no estudo faziam uma média de 16 visitas de vendas por semana, o que significava que, em uma semana média antes do treinamento **SPIN**, 968 Benefícios eram oferecidos aos clientes. No fim do estudo, em uma semana média, as mesmas pessoas ofereciam 2992 Benefícios. Seria surpreendente *não* ter um aumento significativo nas vendas com esses 2024 Benefícios extras.

Um Grupo de Controle Correspondente

Nesse estudo, a oportunidade de ter um grupo de controle com o grupo experimental de modo que ambos começassem com o mesmo nível de pedido nos

Avaliando o Modelo **SPIN**

permitiu testar um possível ponto fraco em nossos resultados da Motorola — que a razão para o aumento poderia ser porque o grupo **SPIN** começou de um ponto mais alto. Mais uma vez, como na Motorola, comparamos o desempenho de cada grupo para o período *anterior* de três meses e um período *posterior* de três meses. O grupo de controle mostrou uma queda de 21% nos pedidos, enquanto o grupo **SPIN** mostrou um ganho de 16% sob as mesmas condições competitivas e econômicas desfavoráveis (Figura A.15). Esse estudo também foi realizado sob condições econômicas e competitivas desfavoráveis, o que responde pela queda nos pedidos do grupo de controle.

Ao ter níveis de pedido iniciais equivalentes dos grupos de controle e experimental, pudemos rejeitar confiantemente a idéia de que a razão para o ganho de 30% da Motorola em pedidos era o fato de que o grupo **SPIN** possuía, acima de tudo, melhores vendedores. Essa explicação não poderia ser verdadeira aqui, uma vez que os níveis de pedido iniciais para ambos os grupos eram os mesmos.

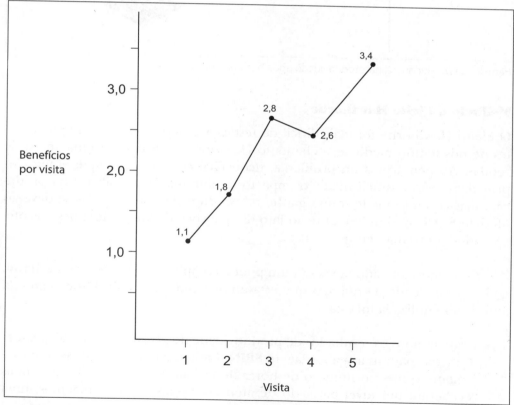

Figura A.14. Mudanças em Benefícios.

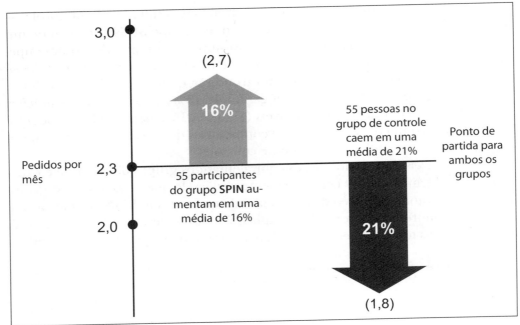

Figura A.15. Mudanças na produtividade após o treinamento.

Medindo o Efeito Hawthorne

O efeito Hawthorne foi mais difícil de testar. Até onde sabemos, ninguém antes de nós tentou medir se o elemento Hawthorne existia em treinamento de vendas. Ao pensarmos no problema, ficou fácil constatar por que éramos os primeiros. Não é difícil medir o impacto da iluminação na fábrica na produção, mas como se mede se um ganho na produtividade em vendas se deve ao Modelo **SPIN** ou simplesmente ao fato de que você deu atenção a pessoas oferecendo-lhes treinamento?

O método que adotamos era um pouco complexo, mas isso era inevitável, dada a dificuldade da questão que estávamos tentando medir. Basicamente, a abordagem utilizada foi esta:

1. Reanalisamos os resultados de produtividade de nosso grupo de 55 pessoas treinadas para usar a abordagem **SPIN**. Cada uma dessas pessoas teve exatamente o mesmo número de horas de treinamento, de modo que todas receberam um nível parecido de atenção. Todas tiveram, digamos, uma dose idêntica de efeito Hawthorne.

2. Dividimos nossos 55 funcionários em dois subgrupos. Em qualquer grupo que esteja aprendendo uma habilidade — golfe, uma língua estrangeira

ou vendas — algumas pessoas aprendem naturalmente mais do que as outras. A partir da medida do comportamento delas em visitas, identificamos as 27 pessoas que estavam exibindo o maior uso de comportamentos **SPIN** e as colocamos em um subgrupo, e no outro subgrupo colocamos os outros 28, cujo uso de comportamentos **SPIN** era mais baixo.

3. Comparamos os resultados de vendas dos dois subgrupos. Se os ganhos de produtividade deles se devessem totalmente a um efeito Hawthorne, então ambos os subgrupos deveriam mostrar ganhos idênticos, porque ambos receberam a mesma quantidade de treinamento e atenção gerencial. Se os ganhos de produtividade deles, no entanto, resultassem do uso do Modelo **SPIN**, então o subgrupo que mostrou o maior aprendizado de **SPIN** deveria ter um ganho de produtividade ligeiramente mais alto que o subgrupo que mostrou um nível mais fraco de aprendizagem.

4. Finalmente, comparamos o desempenho de ambos os subgrupos com um grupo de controle de tamanho similar, de 52 vendedores não treinados, para nos certificarmos de que as mudanças não foram causadas por um efeito de mercado, produto ou organizacional.

Uma vez que decidimos por essa metodologia, nos pusemos a reexaminar nossos dados em uma tentativa de isolar o efeito Hawthorne difícil de captar. Nossos resultados são mostrados na Figura A.16, que revela um efeito Hawthorne no trabalho, porém, como ocorre com a maioria dos efeitos Hawthorne, seu impacto durava pouco.

Primeiro, vamos examinar o desempenho do subgrupo de pessoas com habilidades **SPIN** superiores. Na Figura A.16, os resultados mostram um aumento *durante* o período de treinamento, quando as pessoas recebiam atenção máxima. Entretanto, o mais importante, seus resultados continuam a se aprimorar *após* o treinamento ser concluído, quando não recebiam mais a atenção que poderia criar um efeito Hawthorne.

Em contrapartida, os resultados do subgrupo de pessoas com menos habilidades **SPIN** mostram um aprimoramento radical *durante* o período de treinamento de quatro meses. Todavia, assim que a atenção ao treinamento foi retirada, os resultados retornaram ao nível original. Aqui temos o efeito Hawthorne — isolado pela primeira vez no campo de desempenho de vendas.

Finalmente, vamos examinar o grupo de controle. Vendendo os mesmos produtos no mesmo mercado difícil de bens de capital, seu desempenho mostra uma redução tanto durante quanto após o treinamento do outro grupo. Então, podemos concluir que o aprimoramento do subgrupo com mais **SPIN** não resultou de fatores de mercado, produto ou organizacional. Comparado ao grupo de controle, mesmo o desempenho do subgrupo com menos **SPIN** parece bom. Em vez de mostrar uma queda gradual, seu pessoal pelo menos mantém o desempenho.

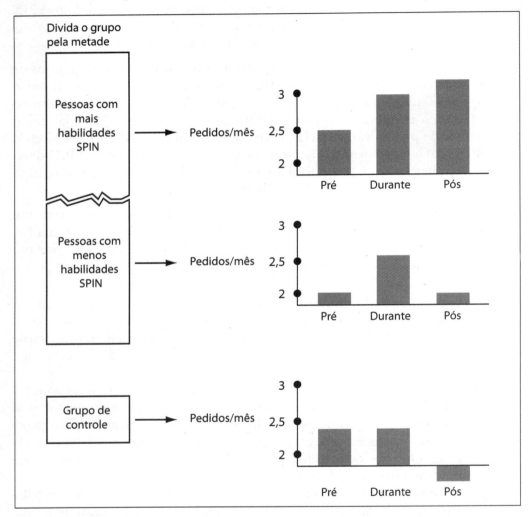

Figura A.16. Isolando o efeito Hawthorne.

Idéias Finais sobre a Avaliação

Há ainda mais testes que eu gostaria de realizar antes de ficar totalmente satisfeito e confiante de que as idéias descritas neste livro vão aprimorar de maneira significativa os resultados de vendas grandes. É uma busca interminável. Quando eu era criança, em Bornéu, não havia ruas e todas as viagens eram por rio.

Avaliando o Modelo **SPIN**

A qualquer ponto da viagem, se alguém perguntasse ao barqueiro quanto faltava, teria sempre a mesma resposta — "Satu tanjong lagi" — que significa "Mais uma virada". Estudos de avaliação são assim. Quando se pensa que tem todas as provas necessárias, há mais uma.

Provavelmente nunca chegaremos à virada final. Espero, contudo, que você concorde que, em nossa busca por provas, a Huthwaite explorou cuidadosamente o rio. Tentamos adotar um olhar objetivo e crítico em nossos próprios modelos e verificar se eles funcionam — e, ao fazermos isso, nos tornamos melhores pesquisadores, planejadores e treinadores. Acima de tudo, conseguimos aumentar a eficiência prática de nossa abordagem. Ironicamente, ao passarmos por essas rotinas de testes que parecem muito acadêmicas, aprimoramos a contribuição com resultados de vendas. Espero que mais pessoas no ramo de treinamento possam ser convencidas a adotar uma abordagem parecida. Seria muito gratificante se este livro estimulasse mais pesquisa em vendas eficazes. Espero que um dia, por meio de investigação e experiências pacientes, os pesquisadores consigam aprender mais sobre o mistério da venda grande a fim de torná-la tão compreensível quanto os demais negócios.

Apêndice B
Escala de Atitude de Fechamento

No Capítulo 2, examinamos as técnicas de fechamento e na seção "Problemas de Atitude" mencionei uma escala de atitude que desenvolvemos para medir os sentimentos das pessoas sobre fechamento. Se você quiser testar, veja como:

1. Leia as 15 declarações a seguir sobre fechamento.
2. Depois de cada declaração, tique na caixa que mais representa sua opinião.
3. Siga as instruções no final da escala para calcular e interpretar sua pontuação.

1. Fechamento é a mais valiosa de todas as técnicas para aumentar vendas.
    - 5 ☐ *Concordo plenamente*
    - 4 ☐ *Concordo*
    - 3 ☐ *Não sei*
    - 2 ☐ *Discordo*
    - 1 ☐ *Discordo plenamente*

2. Tentar fechar uma venda com muita freqüência reduzirá suas chances de sucesso.
    - 1 ☐ *Concordo plenamente*
    - 2 ☐ *Concordo*
    - 3 ☐ *Não sei*
    - 4 ☐ *Discordo*
    - 5 ☐ *Discordo plenamente*

3. A não ser que conheça muitas técnicas de fechamento, você não será eficiente ao vender.
   - 5 ☐ Concordo plenamente
   - 4 ☐ Concordo
   - 3 ☐ Não sei
   - 2 ☐ Discordo
   - 1 ☐ Discordo plenamente

4. Mesmo no início de uma venda, nunca é prejudicial tentar um fechamento.
   - 5 ☐ Concordo plenamente
   - 4 ☐ Concordo
   - 3 ☐ Não sei
   - 2 ☐ Discordo
   - 1 ☐ Discordo plenamente

5. O fechamento ruim é a causa mais comum da perda de vendas.
   - 5 ☐ Concordo plenamente
   - 4 ☐ Concordo
   - 3 ☐ Não sei
   - 2 ☐ Discordo
   - 1 ☐ Discordo plenamente

6. É menos provável que os clientes comprem se reconhecerem que você está usando técnicas de fechamento.
   - 1 ☐ Concordo plenamente
   - 2 ☐ Concordo
   - 3 ☐ Não sei
   - 4 ☐ Discordo
   - 5 ☐ Discordo plenamente

7. Não é possível fechar com muita freqüência quando se vende.
   - 5 ☐ Concordo plenamente
   - 4 ☐ Concordo
   - 3 ☐ Não sei
   - 2 ☐ Discordo
   - 1 ☐ Discordo plenamente

8. Técnicas de fechamento não funcionam com compradores profissionais.
   - 1 ☐ Concordo plenamente

Escala de Atitude de Fechamento

    2 ☐ *Concordo*
    3 ☐ *Não sei*
    4 ☐ *Discordo*
    5 ☐ *Discordo plenamente*

9. No ABC das vendas o correto é Sempre Fechar.
    5 ☐ *Concordo plenamente*
    4 ☐ *Concordo*
    3 ☐ *Não sei*
    2 ☐ *Discordo*
    1 ☐ *Discordo plenamente*

10. É seu melhor comportamento no início da venda, e não sua técnica de fechamento, que determina se um cliente comprará.
    1 ☐ *Concordo plenamente*
    2 ☐ *Concordo*
    3 ☐ *Não sei*
    4 ☐ *Discordo*
    5 ☐ *Discordo plenamente*

11. Você deveria tentar fechar toda vez que identifica um sinal de compra.
    5 ☐ *Concordo plenamente*
    4 ☐ *Concordo*
    3 ☐ *Não sei*
    2 ☐ *Discordo*
    1 ☐ *Discordo plenamente*

12. No momento em que você entra no escritório de um cliente, deve agir como se a venda tivesse sido feita.
    5 ☐ *Concordo plenamente*
    4 ☐ *Concordo*
    3 ☐ *Não sei*
    2 ☐ *Discordo*
    1 ☐ *Discordo plenamente*

13. Se um cliente resiste à sua tentativa de fechamento, então é sinal de que você deveria ter adotado um comportamento mais incisivo.
    5 ☐ *Concordo plenamente*
    4 ☐ *Concordo*

3 ☐ *Não sei*
2 ☐ *Discordo*
1 ☐ *Discordo plenamente*

14. Não importa quanto sejam boas suas outras técnicas, você nunca conseguirá vender se não tiver boas técnicas de fechamento.
    5 ☐ *Concordo plenamente*
    4 ☐ *Concordo*
    3 ☐ *Não sei*
    2 ☐ *Discordo*
    1 ☐ *Discordo plenamente*

15. Usar técnicas de fechamento no início da venda é a maneira certeira de entrar em antagonismo com os clientes.
    1 ☐ *Concordo plenamente*
    2 ☐ *Concordo*
    3 ☐ *Não sei*
    4 ☐ *Discordo*
    5 ☐ *Discordo plenamente*

Calcule sua Pontuação

Para calcular sua pontuação, pegue o número (entre 1 e 5) da caixa onde marcou em cada sentença e some o total referente às 15 afirmações.

Na teoria, uma pontuação de 45 indica neutralidade. Uma pontuação mais alta mostra uma atitude positiva ao fechamento, e uma pontuação mais baixa mostra uma atitude negativa. Na prática, a maioria dos vendedores tem uma pontuação um pouco acima de 45, e escolhemos esse limite em nossos estudos por considerar que uma pontuação acima de 50 demonstra uma atitude favorável para o fechamento.

O que Significa a Pontuação?

No estudo descrito no Capítulo 2 (veja a Figura 2.2), os vendedores com melhores resultados foram aqueles com pontuação baixa (desfavorável): abaixo de 50.

Como explica o Capítulo 2, no entanto, a eficácia das técnicas de fechamento depende do tipo de venda que se faz. Se o seu negócio envolve bens e serviços de baixo valor, clientes não exigentes e relação pós-vendas com o cliente, então uma atitude muito favorável para o fechamento (uma pontuação acima de 50) poderia ser justificável em termos de sua situação de vendas. Entretanto, se sua pontuação estiver acima de 50 nesse teste e seu negócio envolver vendas maiores, clientes exigentes e relação contínua pós-venda, as técnicas de fechamento serão mais prejudiciais do que vantajosas.

Índice

A

Aberturas convencionais, 155-60
Abordagem de alarde para novos produtos, 127-9
Abordagem de solução de problemas:
    analisando produtos com, 172-4
    para novos produtos, 128-30
Abrindo visitas de vendas, 18, 153-66
Ações, 59-60, 62, 78-79
    bem-sucedidas, 63-66
    específicas, 63
Analisando, em termos de solução de problemas, 172-4
    novos, venda, 127-30
Analisando visitas, 173-5
Análise comportamental, 15
Apetite de características, 116-7
Apoio, benefícios e, 148-51
Aprendizagem:
    comportamentos SPIN, 170-5
    habilidades, regras para, 164-9
    novas habilidades, estratégias para, 164-9
Aprovação, Benefícios e, 149-51
Atitude com o fechamento, 39-42
    escala de fechamento-atitude, 205-8
Avaliando/avaliação
    etapas, 187-8
    idéias finais sobre, 202-3
    Modelo SPIN, 184-203
    teste, novo, 196-203
    treinamento em vendas, 184-5
Avanços, 58-57, 62

B

Benefícios, 116-7
    apoio e, 148-51
    apresentando, 19
        em vendas grandes, 1115-32
    aprovação e, 148-51
    definidos, 116-8
    em ciclo de vendas mais longo, 124-7
    impacto relativo dos, 122-8
    mudanças nos, 199-200
    prováveis efeitos nos clientes dos, 134-6
    relação de, com vendas, 125-6
    resumindo, 65-6
    sucesso e, 123-5
    Tipo A e Tipo B, 119-25
Benefícios Tipo A e Tipo B, 118-25
BIRD, Mike, 184
Bishop, Marti, 188-9, 195-6
Blake, William, 174-5
Boyler, Bob, 52-4

C

Capacidades, demonstrando, 131-2
Características, 116-7
    demais, 136-9
    em ciclo de vendas mais longo, 124-7
    impacto relativo de, 122-8

neutras, 116-7
preocupações de preço e, 134-40
prováveis efeitos nos clientes de, 134-6
Casos limítrofes, 104-5
Ciclo de vendas
duração do, 20-1
mais longo, Características, Vantagens e Benefícios em, 124-7
Clientes
alta tecnologia, 94-5
Compromisso de (ver Compromisso, cliente)
evitando objeções de, 150-1
interesses pessoais de, 155-7
novos pontos de vista de, 145
preocupações-chave de, 64-6
prováveis efeitos de Características, Vantagens e Benefícios sobre, 1354-6
relação permanente com, 23-4
satisfação de, fechamento e, 48-9
sofisticação de, fechamento e, 48-9
venda interna por, 99-103
Clientes exigentes, fechamento e, 48-50
Comanda digital, 140-45
Comportamento, vendas:
novo, tentar, 164-6
sucesso e, 15-32
Comportamentos SPIN, aprendizagem, 169-75
Compradores (ver Clientes)
Compromisso
cliente, 63-6
obtendo (ver estágio de Obter Compromisso)
propondo, 65-6
realista, 66
tamanho do, 22-3
Continuações, 58-60

D

Declaração, benefício de abertura, 155, 157-60
Declarações de produtos, 121-3
Demonstrando capacidades, 131-2

Detalhes, 173-5
importância de, 174-5

E

Edwards, J. Douglas, 35
Efeito Hawthorne, 196-7
Enteléquia, 163, 164
Equação de valor, 75-6, 91
Erros, risco de, 24-5
Escala fechamento-atitude, 205-8
Escala Lickert, 41-2
Estágio de aquecimento da visita, 153-7
Estágio de demonstração de capacidade, 26, 115-32, 169, 170-1
Maneiras clássicas para, 99-122
Estágio de investigação, 26, 28-9, 63, 67-8, 169-71
foco em, 171-2
Estágio de Obter Compromisso, 26-8, 33-66, 169, 170-1
quatro ações bem-sucedidas, 63-6
Estágio de preliminares, 25-6, 153-61, 169, 170
fazendo, efetivas, 160-1
Estágios de contestação, 186-8
Estágios de visita, resumo de, 167-71
Estilo agressivo de vendas, 21
Estratégia SPIN, 27-28, 81-114
Estratégia(s)
para aprender comportamentos SPIN, 170-5
para aprender novas habilidades, 164-9
SPIN, 17, 81-114
Estudo de grupo de controle, mal-encaminhado, 182-3
Estudo de produtividade, Motorola Canadá, 188-97
Evitando objeções, 133-51
Experiência, perguntas de problema e, 85

F

Fechamento de vendas, 33-66
atitude em relação, 39-42
ausência de, 52-4

Índice

bem-sucedido, 55-62
clientes exigentes e, 48-50
consenso sobre, 35-6
definição, 35
número de, índice de sucesso versus, 54-5
pesquisa sobre, 36-45
preço e, 46-7
satisfação do cliente e, 49-51
tamanho da decisão e, 44-9
técnicas padrão para, 34
treinamento em, 41-4
Fechamentos alternativos, 34
Fechamentos de pedido em branco, 34
Fechamentos Presumidos, 34
Fechamentos sem se sentar, 34
Fechamentos, última chance, 34
Fishbein, Martin, 26
Franklin, Benjamin, 164-5

G

Grandes vendas, 20-5
comprando sinais em, 75-9
dando benefícios em, 115-32
necessidades do cliente em, 68-70, 77-9
perguntas de problema em, 85-7
sucesso e, 18-20
Grupos de controle, 180-1
equivalente, 197-8
Grupo de controle correspondente, 197-8

H

Habilidades:
aprendizagem, regras para, 164-9
prática, modelos teóricos voltados para, 163-75
Habilidades de investigação, 16
Habilidades práticas, 163
Em situações seguras, 168
modelos teóricos convertidos em, 164-5
Habilidades Profissionais em Vendas, 157, 158
Harrison, Roger, 51-2

I

Imai, Masaaki, 86-7
Impressões, primeiras, 153-5
Interesses pessoais de clientes, 155-7
Investigações diretivas, 29
Investigações não-diretivas, 29
isolando, 201-2

K

Kelvin, Lord, 177

L

Lançamento de novo produto, 127-31
Landry, Tom, 164-5
Lund, P., 35

M

Management Magazine, 179-80
Marsh, Linda, 134-6, 139-40, 148-9
medindo, 198-202
Modelo SPIN, 16-9, 170-1
avaliando, 177-203
estudo de produtividade Motorola Canadá, 188-97
novo teste de avaliação, 196-203
relatório sobre, 179-80
teste da Kodak de, 188-9
Modelos teóricos convertidos em habilidades práticas, 163-75
Motorola Canadá, estudo de produtividade, 188-9, 196-7
Movimento, 62
Mudança de produtividade, 191-5

N

Não-Vendas, 55-6, 59-60
Necessidades
cliente (*ver* Necessidades de Clientes)
explícitas (*ver* Necessidades Explícitas)
implícitas (*ver* Necessidades Implícitas)
Necessidades do cliente, 68-9

desenvolvimento de, 69-71
diferentes em vendas grandes e pequenas, 68-70
em grandes vendas, 67-79
explícita (*ver* Necessidades explícitas)
Implícita (*ver* Necessidades implícitas)
Necessidades explícitas, 71-2, 123-5
desenvolvendo necessidades implícitas em, 95-6
expressas, 124-5
sucesso e, 75-9
Necessidades implícitas, 71-6
descobrindo, 86-7
desenvolvendo, em necessidades explícitas, 95-6

O

Objeções, 133-51
abordagem de treinamento em vendas a, 146-9
conduzindo, 16, 19, 133-51
criando, 141-2
evitando, de clientes, 150-1
no início da visita, 150-1
preço, 136-9
prevenção de, 135-47, 148-51
reduzidas por perguntas de necessidade de solução, 97-100
sobre valor, 150-1
sucesso e, 147-9
Vantagens e, 139-49
Objetivos
focando em, 159-60
Visita (*ver* Objetivos de visita)
Objetivos de visita, 56-8
estabelecendo, 62-3
Obtendo compromisso, 33-66

P

Pedidos, 55, 58-9
Pequenas vendas, 19
necessidades do cliente em, 68-70

Perguntas
aberta, 16, 29-31, 105-7
concentração em, 161
desenvolvendo, em seqüência SPIN, 171-3
fechadas, 16, 29-31, 105-7
implicação (*ver* perguntas de Implicação)
necessidade-solução (*ver* Perguntas de Necessidade de Solução)
Problema (*ver* Perguntas de Problema)
Seqüência SPIN de (*ver* seqüência SPIN de perguntas)
Situação (*ver* Perguntas de Situação)
Sucesso e, 28-31
Perguntas de abertura, 16, 29-31, 105-7
Perguntas de implicação, 31-2, 87-96, 107-9, 169-71
diferença entre perguntas de necessidade de solução e, 103-5
perigo de, 95-6
planejamento, 109-112
principal poder de, 93-5
Perguntas de Necessidade de Solução, 31-2, 95-103, 108-9, 170-1
diferença entre perguntas de implicação e, 103-5
evitando no início, 111-2
evitando, improdutivas, 112-3
importância de, 103-4
objeções reduzidas por, 99-104
praticando efetivas, 112-4
usando, 111-2
venda interna e, 99-104
Perguntas de problema, 31-2, 83-8, 107-8, 169-70
em vendas importantes, 85-7
experiência e, 85
sucesso e, 86-8
Perguntas de situação, 31, 81-2, 107-8, 169-70
desnecessárias, 83-4
Perguntas fechadas, 16, 29-31, 105-7
Planejando visitas, 173-4

Popper, Karl, 184
Preço
    fechamento e, 46-7
    objeções, 136-42
    preocupações, Características e, 134-40
    sensibilidade, 135-8
Preocupações-chave, cliente, 64-6
Pressão, 21, 127-8
Primeiras impressões, 153-5
Produtos
Programa de PSS (Professional Selling Skills), 157, 158
Programa de treinamento, 178
Prova, estágios da, 186
PSS (Professional Selling Skills), 157, 158

Q

Quantidade antes da qualidade, 166-7

R

Regra de Quincy, 104-5
Relação permanente com clientes, 23-4
Resumindo benefícios, 65-6
Risco de erros, 24-5
Ruff, Dick, 32

S

Satisfação, cliente, fechando e, 49-52
Schoonmaker, Alan, 35
Seqüência SPIN de perguntas, 30-2, 81, 169-71
    desenvolvendo perguntas em, 171-3
    usando, 109-13
Sinais de compra em vendas grandes, 75-9
Sinais, comprando, em vendas importantes, 75-9
Sócrates, 94-6
Stennek, Hans, 66
Strong, E. K., 29
Sucesso
    benefícios e, 123-4
    comportamento de vendas e, 15-32
    em vendas maiores, 18-20
    investigação sobre, 17
    necessidades explícitas e, 75-9
    níveis de objeção e, 147-9
    número de fechamentos versus, 54-5
    perguntas de problema e, 86-7
    perguntas e, 28-31
Sucesso em vendas (*ver* Sucesso)

T

Tamanho da decisão, fechamento e, 44-9
Técnicas de fechamento, 16, 19
Tempo de transação, 45-8
Teste Kodak, 188-9
Tomadores de decisão, 94-95
Treinamento em fechamento, 41-4
Treinamento em vendas, 178
    avaliando, 184-5
Treinamento em vendas, abordagem a objeções, 146-9

V

Valor, 84
    construção, 143-4
    objeções sobre, 49-50
    percebido, 22
Valor percebido, 22
Vantagens, 119-123
    efeito das, 126-8
    em ciclo mais longo de venda, 124-7
    impacto relativo das, 122-8
    objeções e, 139-49
    provável efeito nos clientes das, 135, 136
Venda
    interna, 99-103
    novos produtos, 127-31
Vendas
    alta tecnologia, 94-5
    fechamento (*ver* Fechamento de vendas)
    grandes (*ver* Vendas grandes)
    Importantes (*ver* Vendas importantes)

multi-visitas, 20-21
novo produto, 127-31
pequenas (*ver* Vendas pequenas)
relação de Benefícios para, 125-6
visita única, 20-1
Vendas de alta tecnologia, 94-5
Vendas em uma única visita, 20-1
Vendas importantes (*ver* Vendas Grandes)
Vendas internas, 99-103
Vendas multi-visitas, 20-1
Vendas, comportamento (*ver* Comportamento de vendas)
Vendas, visitas
    abertura, 18, 153-61
    alto fechamento, 38
    baixo fechamento, 38
    estágio de aquecimento, 153-7
    objeções no início das, 150-1
    planejamento, 173-4
    quatro estágios de, 25-8, 169-70
    revisão, 173-5
Vendedores, conversando com, 36-7
Visitas com muitos fechamentos, 38
Visitas de baixo fechamento, 38
Visitas de vendas (*ver* Visitas, vendas)

W

Warr-Peter, 184
Wilson, John, 32

Z

Zehren, David, 53-4